2nd Edition

CHINESE MADE EASY

CHINESE MADE EASY

5 **Textbook**

Simplified Characters Version

轻松学汉语（课本）

CW00802611

Yamin Ma
Xinying Li

Joint Publishing (H.K.) Co., Ltd.
三联书店（香港）有限公司

Chinese Made Easy (Textbook 5)

Yamin Ma, Xinying Li

Editor	Luo Fang
Art design	Arthur Y. Wang, Yamin Ma, Xinying Li
Cover design	Arthur Y. Wang, Zhong Wenjun
Graphic design	Zhong Wenjun
Typeset	Zhou Min, Zhong Wenjun

Published by
JOINT PUBLISHING (H.K.) CO., LTD.
Rm. 1304, 1065 King's Road, Quarry Bay, Hong Kong

Distributed in Hong Kong by:
SUP PUBLISHING LOGISTICS (HK) LTD.
3/F., 36 Ting Lai Road, Tai Po, N.T., Hong Kong

Distributed in Taiwan by:
SINO UNITED PUBLISHING LIMITED
4F., No. 542-3, Jhongjheng Rd., Sindian City, Taipei County 231, Taiwan

First published January 2004
Second edition, first impression, March 2007

Copyright ©2004, 2007 Joint Publishing (H.K.) Co., Ltd.

You can contact us via the following:
Tel: (852) 2525 0102, (86) 755 8343 2532
Fax: (852) 2845 5249, (86) 755 8343 2527
Email: publish@jointpublishing.com
http://www.jointpublishing.com/cheasy/

轻松学汉语 （课本五）

编　著　马亚敏　李欣颖

责任编辑	罗　芳
美术策划	王　宇　马亚敏　李欣颖
封面设计	王　宇　钟文君
版式设计	钟文君
排　版	周　敏　钟文君

出　版	三联书店（香港）有限公司
	香港鰂鱼涌英皇道1065号1304室
香港发行	香港联合书刊物流有限公司
	香港新界大埔汀丽路36号3字楼
台湾发行	联合出版有限公司
	台北县新店市中正路542-3号4楼
印　刷	深圳市德信美印刷有限公司
	深圳市福田区八卦三路522栋2楼
版　次	2004年1月香港第一版第一次印刷
	2007年3月香港第二版第一次印刷
规　格	大16开（210 x 280mm）112面
国际书号	ISBN 978.962.04.2592.9

©2004, 2007　三联书店（香港）有限公司

Authors' acknowledgments

We are grateful to all the following people who have helped us to put the books into publication:

- Our publisher, 李昕、陈翠玲 and our editor, 罗芳 who trusted our ability and expertise in the field of Mandarin teaching and learning, and supported us during the period of publication
- Mrs. Marion John who edited our English and has been a great support in our endeavour to write our own textbooks
- 张宜生、吴颖 who edited our Chinese
- Arthur Y. Wang, Annie Wang, 于霆、龚华伟 for their creativity, skill and hard work in the design of art pieces. Without Arthur Y. Wang's guidance and artistic insight, the books would not have been so beautiful and attractive
- Arthur Y. Wang who provided the fabulous photos
- 刘春晓 and Tony Zhang who assisted the authors with the sound recording
- Our family members who have always supported and encouraged us to pursue our research and work on this series. Without their continual and generous support, we would not have had the energy and time to accomplish this project

INTRODUCTION

■ The series of *Chinese Made Easy* consists of 5 books, designed to emphasize the development of communication skills in listening, speaking, reading and writing. The primary goal of this series is to help the learners use Chinese to exchange information and to communicate their ideas. The unique characteristic of this series is the use of the Communicative Approach adopted in teaching Chinese as a foreign language. This approach also takes into account the differences between Chinese and Romance languages, in that the written characters in Chinese are independent of their pronunciation.

■ The whole series is a two-level course: level 1 – Book 1, 2 and 3; and level 2 – Book 4 and 5. All the textbooks are in colour and the accompanying workbooks and teacher's books are in black and white.

COURSE DESIGN

■ The textbook covers texts and grammar with particular emphasis on listening and speaking. The style of texts varies according to the content. Grammatical rules are explained in note form, followed by practice exercises. There are several listening and speaking exercises for each lesson.

■ The textbook plays an important role in helping students develop oral communication skills through oral tasks, such as dialogues, questions and answers, interviews, surveys, oral presentations, etc. At the same time, the teaching of characters and character formation are also incorporated into the lessons. Vocabulary in earlier books will appear again in later books to reinforce memory.

■ The workbook contains extensive reading materials and varied exercises to support the textbook.

■ The teacher's book provides keys to the exercises in both textbook and workbook, and it also gives suggestions, such as how to make a good use of the exercises and activities in order to maximize the learning. In the teacher's book, there is a set of tests for each unit, taesting four language skills: listening, speaking, reading and writing.

Level 1:

■ Book 1 includes approximately 250 new characters, and Book 2 and Book 3 contain approximately 300 new characters each. There are 5 units in each textbook, and 3-5 lessons in each unit. Each lesson introduces 20-25 new characters.

■ In order to establish a solid foundation for character learning, the primary focus for Book 1 is the teaching of radicals (unit 1), character writing and character formation. Simple characters are introduced through short rhymes in unit 2 to unit 5.

■ Book 2 and 3 continue the development of communication skills, as well as introducing China, its culture and customs through three pieces of simple texts in each unit.

■ To ensure a smooth transition, some pinyin is removed in Book 2 and a lesser amount of pinyin in later books. We believe that the students at this stage still need the support of pinyin when doing oral practice.

Level 2:

■ Book 4 and 5 each includes approximately 350 new characters. There are 4 units in the textbook and 3 lessons in each unit. Each lesson introduces about 30 new characters.

■ The topics covered in Book 4 and 5 are contemporary in nature, and are interesting and relevant to the students' experience.

■ The listening and speaking exercises in Book 4 and 5 take various forms, and are carefully designed to reflect the real Chinese speaking world. The students are provided with various speaking opportunities to use the language in real situations.

- Reading texts in various formats and of graded difficulty levels are provided in the workbook, in order to reinforce the learning of vocabulary, grammar and sentence structure.

- Dictionary skills are taught in Book 4, as we believe that the students at this stage should be able to use the dictionary to extend their learning skills and become independent learners of Chinese.

- Pinyin is only present in vocabulary list in Book 4 and 5. We believe that the students at this stage are able to pronounce the characters without the support of pinyin.

- Writing skills are reinforced in Book 4 and 5. The writing task usually follows a reading text, so that the text will serve as a model for the students' own reproduction of the language.

- Extensive reading materials with an international flavour is included in the workbook. Students are exposed to Chinese language, culture and traditions through authentic texts.

COURSE LENGTH

- Books 1, 2 and 3 each covers approximately 100 hours of class time, and Books 4 and 5 might need more time, depending on how the book is used and the ability of students. Workbooks contain extensive exercises for both class and independent learning. The five books are continuous and ongoing, so they can be taught within any time span.

HOW TO USE THIS BOOK

Here are a few suggestions from the authors:

- Some new words are usually included in listening comprehension exercises to challenge the students. We suggest that the teacher go over the questions for the exercises with the students before they actually listen to the recording.

- Before practising the oral exercises in the textbook, the teacher should introduce the suggested vocabulary or phrases.

- The teacher should encourage the students to use their dictionary skills whenever appropriate, so that the students can extend their reading skills independently.

- The students are encouraged to research information on the internet and use other resources for their essay writing. The word limit for each piece of essay writing is to be decided by the teacher or the students according to their ability and level.

- The text for each lesson, listening comprehension exercises and reading texts are on the CDs attached to the textbook. The symbol indicates the track number, for example, ⒸⅅⅠ Tⅰ is Disc 1, Track 1.

Yamin Ma

September, 2006 in Hong Kong

CONTENTS 目 录

第一单元　节日与庆典

第一课　中国的传统节日

CD1 T1

中国有很多传统节日，其中春节是一年中最重要的节日。每年的农历正月初一是春节，也叫农历新年。一进入腊月，家家户户就开始为过年做准备了。人们大扫除、办年货、写春联、寄贺年卡等等。除夕之夜，每家每户都吃"年夜饭"。大年初一，亲戚朋友互相拜年，互相祝福。人们常用的祝贺语有："新年好"、"新年快乐"、"恭喜发财"、"身体健康"、"万事如意"等，大都是一些吉利的话。长辈还会给晚辈压岁钱（也可以叫红包）。正月十五是元宵节，家家户户都会吃元宵（南方人叫汤圆）。这一天过后，春节的庆祝活动也就结束了。

阳历四月五日前后是清明节。清明节这天，一家老小去墓地扫墓，纪念死去的亲人。

农历五月初五是端午节。这一天是纪念古代楚国伟大诗人屈原的日子。人们在这一天吃粽子、赛龙舟。

农历八月十五是中秋节，又叫团圆节。这天晚上的月亮是一年中最圆、最亮的，家家户户在晚上吃月饼、赏月。在香港，人们还点灯笼、烧蜡烛。

中秋节过后就是九月初九的重阳节了。这一天人们喜欢登高望远。

除了这些传统的节日以外，一年中还有其他一些公众节假日，例如元旦、"五一"劳动节和"十一"国庆节等。

生词：

1. tǒng 统（統）system; all　chuántǒng 传统 tradition
2. zhēng yuè 正月 first month of a lunar year
3. là 腊（臘）twelfth lunar month
   là yuè 腊月 twelfth month of the lunar year
4. dà sǎo chú 大扫除 general cleaning
5. bàn nián huò 办年货 make New Year purchases
6. chūn lián 春联 Spring Festival couplets
7. hè nián kǎ 贺年卡 New Year card
8. xī 夕 sunset　chú xī 除夕 New Year's Eve
9. nián yè fàn 年夜饭 New Year's Eve dinner
10. hù 互 mutual　hù xiāng 互相 each other
11. bài 拜 visit　bài nián 拜年 send New Year greetings
12. fú 福 good fortune; luck; happiness
    zhù fú 祝福 blessing; wish
13. zhù hè 祝贺 congratulate
14. gōng 恭 respectful; courteous
15. cái 财（財）wealth; money
    gōng xǐ fā cái 恭喜发财 May you be prosperous!
16. shēn tǐ 身体 body; health
17. wàn shì rú yì 万事如意 May all go well with you!
18. jí 吉 lucky　jí lì 吉利 lucky; fortunate
19. bèi 辈（輩）generation　zhǎng bèi 长辈 elder or senior
    wǎn bèi 晚辈 younger generation
20. yā 压（壓）press
    yā suì qián 压岁钱 money given to children as a lunar New Year gift
21. xiāo 宵 night　yuán xiāo 元宵 15th night of the first lunar month; (glutinous) rice dumpling

yuán xiāo jié 元宵节 the Lantern Festival (the 15th day of the first lunar month)

22. tāng yuán 汤圆 stuffed dumplings made of glutinous rice flour served in soup
23. qìng 庆（慶）celebrate　qìng zhù 庆祝 celebrate
24. shù 束 bind; bunch　jié shù 结束 wind up; close
25. yáng lì 阳历 solar calendar
26. qián hòu 前后 around
27. qīng míng jié 清明节 Qingming Festival
28. mù 墓 grave; tomb　mù dì 墓地 graveyard
    sǎo mù 扫墓 pay respect at sb.'s tomb
29. jì niàn 纪念 commemorate
30. rì zi 日子 date; day
31. lóng 笼（籠）cage　dēng long 灯笼 lantern
32. là 蜡（蠟）wax; candle
33. zhú 烛（燭）candle　là zhú 蜡烛 wax candle
34. chóng yáng jié 重阳节 Double Ninth Festival (9th day of the 9th lunar month)
35. dēng 登 climb; publish　dēng gāo 登高 climb up
    dēng gāo wàng yuǎn 登高望远 ascend a height to enjoy a distant view
36. zhòng 众（眾）crowd　gōng zhòng 公众 the public
37. yuán dàn 元旦 New Year's Day
38. láo 劳（勞）work; labour　láo dòng 劳动 work; labour
    láo dòng jié 劳动节 International Labour Day
39. guó qìng jié 国庆节 National Day

专有名词：

1. qū yuán 屈原 Qu Yuan (340-277 B.C.) minister of the State of Chu and one of China's earliest poets

2

根据课文回答下列问题：

1. 中国人从什么时候开始准备过年？要做哪些准备工作？

2. 春节的庆祝活动何时结束？

3. 屈原是谁？端午节这天人们一般怎么过？

4. 重阳节在哪一天？

5. 在香港过中秋节时，人们除了吃月饼、赏月以外还做什么？

6. 在中国，除了传统节日以外还有哪些公众节假日？

注释：谐音

汉语里有很多字发同样的音，这种同音现象叫"谐音"。比如中国人过春节要吃年糕，"糕"跟"高"是谐音，年糕因而表示"年年高升"的意思。当你见到"福"字倒着挂时，不是真的写倒了，而是因为"倒"跟"到"是谐音，因而表示"福"到了。

1 根据谐音配对

1. 鱼
2. 桔子
3. 汤圆
4. 开心果
5. 莲子
6. 瓜子
7. 金币、元宝糖果

a. 开开心心
b. 团团圆圆
c. 年年有余
d. 招财进宝
e. 连生贵子
f. 大吉大利
g. 多子多孙

2 CD1 T2 选择正确答案

1.
  ☐ a) 正月就是阳历一月。
  ☐ b) 正月就是阴历一月。
  ☐ c) 正月就是农历十二月。

2. 他们_____去给爷爷、奶奶拜年。
  ☐ a) 年初二
  ☐ b) 年初三
  ☐ c) 年初一

3.
  ☐ a) 他今年得到 3,000 多块压岁钱。
  ☐ b) 他今年没有得到压岁钱。
  ☐ c) 他今年得到的压岁钱不到2,000块。

4. 香港人年初一吃年糕是希望_____。
  ☐ a) 生活越来越好
  ☐ b) 孩子能成才
  ☐ c) 全家身体健康

5. 他们家不在清明节这天去扫墓, 因为_____。
  ☐ a) 清明节这天扫墓的人很多
  ☐ b) 清明节这天不放假
  ☐ c) 墓地太远

6.
  ☐ a) 北京人过中秋节习惯烧蜡烛。
  ☐ b) 香港人过中秋节玩灯笼。
  ☐ c) 香港人过中秋节吃汤圆。

3 调查：采访十个同学，把结果做成柱状图

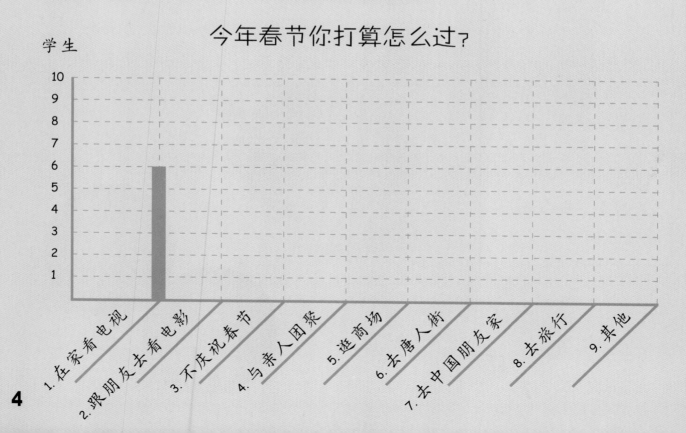

今年春节你打算怎么过?

学生

10
9
8
7
6
5
4
3
2
1

1. 在家看电视
2. 跟朋友去看电影
3. 不庆祝春节
4. 与亲人团聚
5. 进商场
6. 去唐人街
7. 去中国朋友家
8. 去旅行
9. 其他

4 根据你自己的情况回答下列问题

1. 你居住的国家或地区过春节吗？春节期间有哪些庆祝活动？

2. 你居住的国家或地区有唐人街吗？

3. 你看过舞龙、舞狮表演吗？在哪儿看的？

4. 你在电视上能不能看到庆祝春节的节目？

5. 你们家过不过春节？

6. 去年春节你们家是怎么过的？吃了哪些特别的食物？你有没有得到压岁钱？

7. 明年春节是几月几号？是什么年？

5 CD1 T3 回答下列问题

（一）

1. 春节联欢晚会几点开始？

2. 春节联欢晚会一共开几个小时？

3. 下面哪几句话正确？
   □ a) 晚会上有京剧表演。
   □ b) 晚会上有魔术表演。
   □ c) 晚会上只有中国人表演。
   □ d) 中央电视台有三个台同时转播春节联欢晚会节目。

（二）

1. 除了中国以外，还有哪两个国家的华人也庆祝春节？

2. 春节期间会有哪些人去看舞龙、舞狮表演？

3. 下列哪几句话正确？
   □ a) 澳大利亚人也过春节。
   □ b) 有些地方过春节时放鞭炮。
   □ c) 世界各地的华人都庆祝春节。
   □ d) 很多西方人在春节期间走访华人朋友。

6 配对

根据中国人的传统文化，下边这些画象征什么?

1. 长寿

2. 权力

3. 富贵、庄重

4. 福

5. 禄

7 讨论

如果你们每个人收到4,000块压岁钱，你们打算怎么花?

例子: 我会买一双运动鞋，大概要花

800块左右。我还会买……

参考词语:

电脑	衣服	鞋子	帽子
书籍	杂志	首饰	文具
手机	影碟	手表	CD
化妆品	体育用品		

诗歌欣赏

静夜思

李 白

床前明月光，

疑是地上霜。

举头望明月，

低头思故乡。

阅读（一） 梁山伯与祝英台

CD1 T4

传说祝英台是一位富家女子，才貌出众，很有个性。那时，女孩子是不许上学读书的，所以她只好女扮男装去上学。在读书的三年里，她认识了诚实、英俊的梁山伯，并深深地爱上了他，可是梁山伯对此事却一无所知。毕业后，祝英台回到家中，但她日夜思念着梁山伯。

几个月后，梁山伯听说祝英台是女孩子后，立即来到祝家求婚，可是祝家已答应把祝英台嫁到马家。梁山伯得知此事后生了重病，不久就去世了。祝英台非常痛苦，又不得不听从父母的安排。结婚那天，在去马家的路上，祝英台要求停下来看一眼梁山伯的坟。祝英台一看到坟就大哭了起来。突然一声巨响，坟墓打开了，祝英台便跳了进去。不久，人们就看到一对蝴蝶从坟墓里双双飞出。

生词：

chuán shuō		jià	
1 传 说 pass from mouth to mouth		12 嫁 (of a woman) marry	
mào		dé zhī	
2 貌 looks; appearance		13 得知 learn; get to know	
cái mào chū zhòng		tòng kǔ	
才貌出 众 of remarkable talent and good looks		14 痛苦 pain; agony; suffering	
bù xǔ		tīng cóng	
3 不许 not allow; must not		15 听从 obey; follow; comply with	
jùn yīng jùn		fén	
4 俊 handsome 英俊 good-looking and bright		16 坟（墳）grave; tomb	
shēn		fén mù	
5 深 deep		坟墓 grave; tomb	
yì wú suǒ zhī		kū	
6 一无所知 be completely in the dark		17 哭 cry; weep	
bì bì yè		dǎ kāi	
7 毕（畢）finish; complete 毕业 graduate		18 打开 open; unfold	
rì yè		hú dié	
8 日夜 day and night		19 蝴蝶 butterfly	
sī niàn			
9 思念 think of; miss			

专有名词：

jí lì jí	liáng shān bó
10 即 immediately 立即 immediately	1 梁 山伯 Liang Shanbo
qiú hūn	zhù yīng tái
11 求婚 make an offer of marriage	2 祝 英台 Zhu Yingtai

第二课　西方的传统节日

　　西方人一年中最重要的节日要数圣诞节了。圣诞节在每年的十二月二十五日，至少在这一天到来的一个月前，人们就开始做准备了。为了增添节日的气氛，街道两旁的建筑物和商店内外都被装饰得特别漂亮，各个商店在橱窗设计上更是费尽心思，再加上到处都可以听到的圣诞音乐，给人一种热闹异常、轻松愉快的感觉。圣诞节前，几乎每家每户都会买圣诞树，在圣诞树上挂上各种灯饰及其他装饰物，还会把礼物摆在圣诞树下。人们互相寄圣诞卡，小孩子还会给圣诞老人写信。圣诞节一早，一家人打开各自的礼物，互相祝福。中午的圣诞大餐一定少不了火鸡、布丁等等。

　　圣诞节过后，人们就期待着新年的到来。新年除夕的晚上，也就是十二月三十一日，人们会参加各种派对和倒数活动，以迎接新年的到来。很多人还会在新年之际下决心改掉以前的不良习惯，希望在未来的一年里有所成就。

　　复活节是另一个重要节日，时间大概在每年的四月份。人们利用这个假期与亲人团聚、外出旅游等等。

　　除此以外，美国和加拿大还有庆祝感恩节的风俗。对西方人来说，情人节、万圣节、父亲节和母亲节也都是很重要的节日。

生词：

1. dàn 诞（誕）birth　shèng dàn jié 圣诞节 Christmas
   shèng dàn lǎo rén 圣诞老人 Santa Claus
   shèng dàn shù 圣诞树 Christmas tree
   shèng dàn kǎ 圣诞卡 Christmas card
2. zhì 至 reaching; to; until　zhì shǎo 至少 at least
3. zēng 增 increase; enhance　zēng tiān 增添 add; increase
4. fēn 氛 atmosphere　qì fēn 气氛 atmosphere
5. jiē dào 街道 street
6. zhù 筑（築）build; construct
   jiàn zhù 建筑 build; construct　jiàn zhù wù 建筑物 building
7. zhuāng shì 装饰 decorate
8. chú 橱（櫥）cabinet; closet　chú chuāng 橱窗 show window
9. shè jì 设计 design
10. jìn 尽（盡）exhausted; finished
11. xīn si 心思 idea; thought; mind
12. dào chù 到处 everywhere
13. yì 异（異）different
    yì cháng 异常 unusual; extraordinary
14. sōng 松（鬆）loose; relax; fluffy
    qīng sōng 轻松 carefree; relaxed
15. yú 愉 pleased; happy　yú kuài 愉快 happy; joyful
16. gǎn jué 感觉 feeling
17. bǎi 摆（擺）put; place; lay
18. gè zì 各自 each; respective; individual
19. huǒ jī 火鸡 turkey
20. bù dīng 布丁 pudding

21. dài 待 wait for; about to
    qī dài 期待 expect; look forward to
22. dào lái 到来 arrival
23. pài duì 派对 party
24. dào shǔ 倒数 count in reverse order; New Year countdown
25. yíng jiē 迎接 receive; meet; welcome
26. jué xīn 决心 determination
    xià jué xīn 下决心 make up one's mind
27. gǎi diào 改掉 give up; discard
28. bù liáng 不良 bad; harmful
29. wèi 未 not yet　wèi lái 未来 coming; future
30. yǒu suǒ 有所 to some extent
31. chéng jiù 成就 achievement
32. fù huó jié 复活节 Easter
33. lì yòng 利用 use; make use of
34. jù 聚 gather　tuán jù 团聚 reunite
35. ēn 恩 kindness
    gǎn ēn jié 感恩节 Thanksgiving Day (fourth Thursday in November in the United States or second Monday in October in Canada)
36. sú 俗 custom　fēng sú 风俗 custom
37. qíng rén 情人 sweetheart
    qíng rén jié 情人节 Valentine's Day
38. wàn shèng jié 万圣节 All Saints' Day
39. fù qīn jié 父亲节 Father's Day
40. mǔ qīn jié 母亲节 Mother's Day

根据课文回答下列问题：

1. 西方人一年中最重要的节日是哪一个？

2. 为了迎接圣诞节的到来，人们一般做哪些准备工作？

3. 圣诞大餐一般吃什么？

4. 倒数庆祝活动是在哪一天举行的？

5. 复活节一般是在几月？

6. 世界上哪几个国家庆祝感恩节？

1 说一说

很多西方人在新年之际会定一个目标，或决心改掉以前的不良习惯，这叫做"新年决心"，但是能够做到的人并不多。有人做了一、两个星期就忘了。

1. 你以前下过新年决心吗？下过什么决心？

2. 你有没有下过右边的那些"新年决心"？下过哪几个？

3. 你今年有没有下"新年决心"？你下了什么决心？做到了没有？

新年决心

- 一年内把汉语学好

- 每天做半个小时的运动

- 每天记五个汉字

- 学会一种新的乐器

- 每星期读一本小说

- 每天看报纸、听新闻

- 每天只玩半个小时的电脑

- 改掉花钱大手大脚的习惯

- 做一份义工

- 争取毕业考试拿三个A

......

2 选择正确答案

1. □ a) 他外公、外婆要来他们家过圣
       诞节。
   □ b) 他爷爷、奶奶会来他家。
   □ c) 他们一家人会去度假。

2. 他们家_____。
   □ a) 每年都摆圣诞树
   □ b) 现在不摆圣诞树了
   □ c) 从来都不摆圣诞树

3. □ a) 他今年最多得到六份圣诞礼物。
   □ b) 他今年最少得到六份圣诞礼物。
   □ c) 他每年都得到六份圣诞礼物。

4. 他希望_____。
   □ a) 今后考试少些
   □ b) 作业不要太多
   □ c) 每次考试都能及格

5. 今年的感恩节是_____。
   □ a) 十一月二十七号
   □ b) 十一月的最后一个星期日
   □ c) 十月的最后一个星期四

6. 他们每年_____都与亲戚团聚。
   □ a) 春节
   □ b) 圣诞节
   □ c) 中秋节

3 讨论题

给以下这些人买圣诞礼物。买什么样的礼物最合适，并
说出理由。

1. 四十岁左右的男工程师
2. 三十岁左右的女英语教师
3. 六十五岁的男退休工人
4. 二十岁的女大学生
5. 十五岁的男学生
6. 十岁的女学生
7. 四岁的小女孩

例子:

A: 我想他需要一个台历，他可以放在写字台上。

B: 我觉得电子记事本更合适。他不但可以把每天的日程安排记下来，还可以存很多电话号码。

参考词语:

CD	电脑
纪念邮票	首饰
滑板	彩色蜡笔
存钱罐	耳环
橡皮泥	洋娃娃
香味蜡烛	象棋
玩具车	台历
电子记事本	
订一年《时代》杂志	

4 CD1 T7 回答下列问题

(一)

1. 倒数庆祝活动是从几点开始的？

2. 倒数庆祝活动是在哪儿举行的？

3. 下面哪几句话正确？

☐ a) 他和家人一起参加了倒数庆祝活动。

☐ b) 庆祝活动有唱歌、跳舞表演。

☐ c) 庆祝活动有舞龙表演。

☐ d) 十二点一过大家就互相说："新年快乐！"

(二)

1. 西班牙人一般几点吃午饭？

2. 西班牙海鲜饭里主要有什么？

3. 下面哪几句话正确？

☐ a) 西班牙人每天都睡午觉。

☐ b) 西班牙菜受法国大菜的影响。

☐ c) 西班牙人喜欢吃烤火鸡。

☐ d) 西班牙人不喜欢吃鱼。

5 根据你自己的情况回答下列问题

1. 在这些西方节日当中，哪一个对你来说最重要？为什么？

2. 你们学校有没有组织庆祝"情人节"的活动？有什么活动？

3. "情人节"，同学之间一般送什么样的礼物？（玫瑰花、巧克力……）

4. 你们学校有没有"情人节"校刊？上面有哪些内容？

5. 假如让你组织一次"情人节"活动，你会安排哪些活动？

圣诞节	新年	情人节	复活节	母亲节	父亲节	万圣节	感恩节

诗歌欣赏

春晓

孟浩然

春眠不觉晓，
处处闻啼鸟。
夜来风雨声，
花落知多少。

6 说一说：看着以下这些图，你会想到什么

例子：

糖果　　骷髅　　鬼怪

派对　　海盗　　巫婆

面具　　蜘蛛网

古怪的服饰

万圣节舞会　　南瓜灯笼

"是款待我还是要我耍花招"

1. 你们家过圣诞节吗?

2. 你居住的国家或地区怎样庆祝圣诞节?

3. 去年你和你的家人是怎样过圣诞节的? 你们有没有买圣诞树? 你给家人分别买了什么礼物? 圣诞大餐吃了什么?

4. 你每年都给亲戚朋友寄圣诞卡吗? 你有没有发过电子贺卡给朋友?

5. 你今年最希望得到什么圣诞礼物? 为什么?

6. 你去年参加倒数庆祝活动了吗? 你的新年决心是什么?

7. 父亲节和母亲节时, 你会给父母买礼物吗? 你今年会给他们买什么礼物?

8. 你小时候过万圣节吗? 你现在还过吗?

8 上网找资料, 然后做一个口头报告

每个国家都有自己的传统节日。

1. 人们庆祝哪些传统节日?

2. 哪个节日最重要、最热闹?

3. 他们是怎样庆祝这些传统节日的?

4. 他们吃些什么特殊食品?

5. 他们有哪些活动?

选一个国家

西班牙	德 国	英 国	巴 西
日 本	韩 国	法 国	印 度

阅读（二） 牛郎织女

CD1 T8

传说很久以前，有一个孤儿叫牛郎，只有一头老牛跟他做伴。有一天他放牛时，一群仙女正在河里洗澡，老牛就让牛郎拿走了仙女之一——织女的衣服。后来牛郎和织女结为夫妻，并育有一儿一女，过着幸福的生活。可是好景不长，王母娘娘得知这件事后很生气，就让织女返回了天上。后来老牛生病死了。死之前它告诉牛郎，他可以披着牛皮飞到天上。于是，牛郎就披着牛皮，带上一双儿女，飞到了天上。这时，王母娘娘却用她头上的银簪在天上划了一条线，这条线一下子就变成了银河，使得牛郎织女不能相见。后来天上的喜鹊被他们的爱情感动了，每年七月初七就用它们的翅膀搭成一座鹊桥，让他们团聚。王母娘娘知道后，答应每年的这一天让他们相会一次。这也就是"七夕"这个传统节日的由来。

生词：

1. láng 郎 youth; my husband; son-in-law
2. gū 孤 orphaned; lone gū ér 孤儿 orphan
3. zuò bàn 做伴 keep sb. company
4. fàng niú 放牛 herd cattle
5. qún 群 crowd; flock; measure word
6. xiān 仙 immortal xiān nǚ 仙女 fairy maiden
7. fū qī 夫妻 husband and wife
8. xìng 幸 good fortune; happiness xìng fú 幸福 happiness
9. hǎo jǐng bù cháng 好景不长 good times don't last long
10. niáng 娘 mother
11. fǎn 返 return fǎn huí 返回 return
12. pī 披 drape over one's shoulder; wrap around
13. zān 簪 hairpin
14. yín hé 银河 Milky Way
15. xiāng jiàn 相见 meet; see each other
16. xǐ què 喜鹊 magpie
17. ài qíng 爱情 love (between man and woman)
18. chì 翅 wing
19. bǎng 膀 shoulder; arm chì bǎng 翅膀 wing
20. dā 搭 put up; travel by transport
21. qī xī 七夕 seventh evening of the seventh moon of the lunar calendar
22. yóu lái 由来 cause; reason

专有名词：

1. niú láng 牛郎 Cowherd
2. zhī nǚ 织女 Weaver Girl
3. wáng mǔ niáng niáng 王母娘娘 Queen Mother of the Western Heavens

第三课　社交用语及礼仪

1

亲爱的钟雷:

我的十六岁生日派对将于十月八日晚上七点,在黄金海岸酒店十楼静园餐厅举行。欢迎你来参加。到时见!

周树青
2003 年 9 月 20 日

2

Message

To: 周树青

Subject: 生日派对

亲爱的树青:

你好!

谢谢你邀请我参加你的生日派对。我一定会去的,到时见!

石钟雷
2003 年 9 月 26 日

3

亲爱的树青:

你好!

谢谢你邀请我参加你的生日派对。非常遗憾,我那天去不了。我真的很想去,但不巧的是我在加拿大的表姐八日那天正好从澳洲飞回美国,在香港转机,她在香港只呆一个晚上,所以我一定得陪她玩。请你原谅,实在抱歉。

为了不使你太失望,我已经给你买好了礼物。到时会给你一个惊喜。

祝你生日快乐,玩得痛快!

徐红伟
2003 年 10 月 2 日

周树青： 钟雷，我生日那天能不能借用一下你的数码相机？我想多拍点照片，然后做一个网页，这样我在英国的亲戚朋友都可以看到。

石钟雷： 别提多倒霉了！我的数码相机让我弟弟弄丢了。我有摄像机，你要吗？

周树青： 那好吧！麻烦你生日派对那天带来。

石钟雷： 还是先拿给你吧！我恐怕我会迟到。

周树青： 好啊！你星期五前带给我吧！拜托了！

红伟：

你好！

非常感谢你送给我的生日礼物。我正想买一副望远镜，因为我两周后会跟一个观鸟小组去北戴河观鸟，这副望远镜真是太及时了！

再次感谢你！

周树青

2003 年 10 月 10 日

生词：

1. yòng yǔ 用语 terminology; term
2. yí 仪（儀）appearance; ceremony; instrument
   lǐ yí 礼仪 rite; protocol
3. jiāng 将（將）will
4. jǔ xíng 举行 hold; take place
5. yāo 邀 invite; ask yāo qǐng 邀请 invite
6. yí 遗（遺）lose; omit; leave behind
7. hàn 憾 regret yí hàn 遗憾 deep regret
8. bù qiǎo 不巧 unfortunately
9. dāi 呆 stay; dumb
10. liàng 谅（諒）forgive; excuse yuán liàng 原谅 excuse; forgive
11. shí zài 实在 practical; really
12. bào 抱 hold in the arms; hug; cherish
13. qiàn 歉 apology; regret bào qiàn 抱歉 be sorry; regret
14. shī wàng 失望 lose hope; be discouraged
15. jīng 惊（驚）be frightened; shock jīng xǐ 惊喜 pleasantly surprised
16. tòng kuai 痛快 happy; delighted

17. shù mǎ 数码 numeral shù mǎ zhào xiàng jī 数码（照）相机 digital camera
18. pāi 拍 pat; strike; racket; take pāi zhào 拍照 take a picture
19. yè 页 page wǎng yè 网页 home page
20. bié tí 别提 you can well imagine
21. méi 霉 mould; mouldy dǎo méi 倒霉 have bad luck
22. nòng 弄 play with; fiddle with; do; make; get
23. diū 丢 lose; throw; put aside
24. shè 摄（攝）take; absorb; take a photo; photo shè xiàng jī 摄像机 video camera
25. kǒng 恐 fear; scare; afraid kǒng pà 恐怕 perhaps; probably
26. chí 迟（遲）slow; late chí dào 迟到 late to arrive
27. a 啊 used at the end of a sentence as a sign of confirmation
28. tuō 托 hold up sth. serving as support; ask; beg bài tuō 拜托 ask a favour of; request
29. wàng yuǎn jìng 望远镜 telescope; binoculars
30. jí shí 及时 timely; in time

根据课文判断正误：

☐ 1) 周树青的生日派对在九月二十日举行。

☐ 2) 周树青只邀请了石钟雷参加他的生日派对。

☐ 3) 徐红伟很遗憾，因为她不能参加周树青的生日派对。

☐ 4) 徐红伟十月八日晚上要陪她表姐玩。

☐ 5) 徐红伟帮周树青从北戴河买了一副望远镜。

☐ 6) 周树青想跟石钟雷借数码相机。

☐ 7) 石钟雷的数码相机坏了。

☐ 8) 周树青生日会那天会录像。

1 完成下列对话

1. A: 我想请你来我家玩。

   B: ＿＿＿＿＿＿ 什么时候去你家？

2. A: 圣诞音乐会明天晚上七点在市政府礼堂举行。我帮你买好了票。你能去吗？

   B: ＿＿＿＿＿＿ 我明晚已经有约会了。

3. A: 我这个星期六要去参加一个婚礼。我能不能借穿一下你那条真丝连衣裙？

   B: ＿＿＿＿＿＿ 你来之前打个电话给我。

4. A: 我能不能借用一下你新买的数码相机？

   B: ＿＿＿＿＿＿ 我的相机坏了。

5. A: 麻烦你现在开车送我去机场，行吗？

   B: ＿＿＿＿＿＿ 我的汽车给人偷了。

6. A: 对不起，王老师，我今天又迟到了。

   B: ＿＿＿＿＿＿ 你先坐下，下课后我再找你谈。

7. A: 我考上了牛津大学数学系。

   B: 真的吗？＿＿＿＿＿＿＿＿＿＿

8. A: 我家里来了一帮亲戚。我能不能在你家呆几天？

   B: ＿＿＿＿＿＿ 你呆多久都可以。

9. A: 我爸爸失业了，我妈妈又生病在家。

   B: ＿＿＿＿＿＿＿＿＿＿＿＿＿

10. A: 再借给我五百块钱吧。求你了，我下星期一定还给你。

    B: ＿＿＿＿＿＿ 我这两天手头也很紧。

11. A: 正要上飞机时，我突然发现我的手提包不见了。

    B: ＿＿＿＿＿＿ 你这样细心的人也会出这种事！

参考词语：

拜托　遗憾　原谅　恐怕　麻烦　谢谢　抱歉　祝贺　欢迎
痛快　太棒了　真倒霉　对不起　不用谢　没想到　不客气
没问题　算了吧　怎么办　真扫兴　没关系　打听一下
倒霉透了　恭喜恭喜　怎么回事　太不幸了　真不好意思

2 选择正确答案

1. 丁云朋友的生日派对有_____等活动。

　□ a) 玩电脑、看电视、下棋

　□ b) 看电影、玩电脑

　□ c) 游泳、踢足球、看电影

2. □ a) 孙文的妈妈下星期去郊游。

　□ b) 孙文不能去，因为她病了。

　□ c) 孙文下个星期有考试，所以不能去郊游。

3. □ a) 杨光的朋友要在家里举行倒数派对。

　□ b) 杨光要去澳大利亚旅行。

　□ c) 杨光会在欧洲过新年。

4. 宋明想知道_____。

　□ a) 化装舞会在何时何地举行

　□ b) 生日晚会在什么地方举行

　□ c) 婚礼还有哪些人参加

5. 小兵不能去，因为_____。

　□ a) 他要跟朋友一起去打球

　□ b) 他不喜欢照相

　□ c) 他要去赛龙舟

6. □ a) 鲁军不能马上决定暑假是否去北京。

　□ b) 鲁军不需要跟他父母商量。

　□ c) 鲁军想知道汉语班上有多少人。

3 调查

采访你的同桌，问他／她是否会把以下东西借给别人，并说出理由。

－手机
－数码相机
－化妆品
－首饰
－摄像机
－望远镜
－汉语课本
－彩色笔
－钱
－手表

例子:

A: 你会把手机借给别人用吗？

B: 要看他是打长途电话还是打市内电话。如果是打市内电话，那就没问题。如果是打长途电话，时间短的话也没问题，但要是打的时间很长，他就得付长途电话费。

4 讨论（两人一组）

假设你们的妈妈要过四十岁生日了。你们俩想为她开一个惊喜派对，邀请一些亲朋好友来参加。你们要发邀请信，然后安排派对。你们要作以下决定：

a）食品及饮料

b）生日礼物

c）活动安排（成人和儿童）

d）总共花费

例子：

邀请人名单：

- 爷爷、奶奶

- 外公、外婆

- 姑妈、姑夫及两个表弟

- 妈妈的好朋友（十位）

-

-

-

-

购 物

食品、饮料　　　　物品（布置派对场所）

5 回答下列问题

（一）

1. 以前北京人"办年货"一般都买些什么？（至少三样）

2. 现在北京人过年过节时送什么礼物？（至少两种）

3. 下面哪几句话正确？

   □ a) 现在北京人过年仍然互送烟酒。

   □ b) 现在"美容卡"也成了一种礼品。

   □ c) 现在北京人过年不买吃的，也不买新衣服了。

   □ d) 现在北京人送的礼品大多跟健康、学业和工作有关。

（二）

1. 中国人过年时的装饰一般用什么颜色？

2. 中国人结婚时哪两样东西是红色的？

3. 下面哪几句话正确？

   □ a) 中国人生了孩子要发红包。

   □ b) "红火"就是生意好的意思。

   □ c) 中国人把歌星、演员叫作"红人"。

   □ d) 红色代表吉利、运气。

6 讨论

每个学生轮流说一句。这句话的主要内容是"在不久的将来我想……"，然后其他同学发表意见。

例子：

学生1：在不久的将来我想买一辆汽车。

学生2：我觉得不可能，因为你没有那么多钱。

学生3：你有没有问过你父母亲？你还不到十七岁，他们会让你开车吗？

参考句型：

真的吗？

可能吗？

你是否想过……？

你有没有问过……？

我觉得这不可能。

我觉得要做到这一点很难。

我认为你首先应该……

你有没有试过……？

22

7 根据情景至少说一句话

情景：

1. 我打开书包一看，书包是空的。

2. 第二天早上我发现我们家的门开着。

3. 我爸爸、妈妈晚上十二点还没有回家。

4. 课上到一半，一个男生突然站了起来，一句话也不说，就往外跑。

5. 坐在地铁里，车突然停了，灯也灭了，什么也看不见。

6. 全城的电脑都瘫痪了。

7. 我的好朋友已经有两星期没有来上学了。

8. 我打开电脑，发现我存好的文件不见了。

9. 我们楼里的饮用水已经停了两天了。

10. 我已经有一个月没有吃到鱼、肉了，一日三餐我都吃同样的食物：米饭、素菜和水果。

例子：

学生1：你是不是拿错书包了？

学生2：也许你自己把东西拿出来后没有放回去。

学生3：那一定是有人把你的东西偷走了。

学生4：但不可能把他书包里的东西全偷走啊。

诗歌欣赏

悯农

李绅

锄禾日当午，
汗滴禾下土。
谁知盘中餐，
粒粒皆辛苦。

参考词语：

要　不用

也许　（不）会

（不）可以　（不）肯

（不）可能　有可能

（不）一定　（不）应该

23

8 完成下列对话

1. A: 你们家的狗每天晚上叫，我们晚上根本睡不着。

   B: _____

2. A: 你说六点到的。你看看，现在已经六点半了。

   B: _____

3. A: 这里有人坐吗？

   B: _____

4. A: 我想请你吃饭。你这个星期六晚上有空吗？

   B: _____

5. A: 我昨天在你们店里买了一张影碟，回家后放不出来。

   B: _____

6. A: 我可以开车把你送到机场。

   B: _____

7. A: 你这些照片拍得真好。

   B: _____

8. A: 请不要大声说话。

   B: _____

9 根据常识回答下列问题

去西方人家里做客

1. 用餐时，餐巾应该放哪儿？派什么用场？
2. 刀、叉怎么用？如果要继续用餐，刀、叉应该怎样放在盘子上？如果用餐完毕，刀、叉应该怎样放？
3. 进餐时，能否将碗碟端起来？
4. 如果进餐时打嗝或咳嗽，你应该怎么办？
5. 进餐时，你能否一直保持沉默？你应该怎样做才有礼貌？
6. 进餐时，如果你想剔牙，你该怎么做？
7. 吃饭、喝汤能不能发出响声？
8. 进餐时，怎样嚼食物才算有礼貌？
9. 去西方人家里作客，什么时候到比较合适？
10. 去西方人家里作客一般带什么礼物？
11. 用完餐后，何时离开主人家比较合适？
12. 如果你跟主人不太熟，作客后你应该怎样向主人表示谢意？

阅读（三） 孟姜女哭长城

CD1 T12

　　秦朝时，有一对青年男女：范喜良和孟姜女。在他们结婚的那天晚上，范喜良被秦始皇的军队抓去修筑长城。冬天快到了，孟姜女还是不见丈夫回来。于是，孟姜女决定把做好的棉衣亲自送给丈夫。她经历了千辛万苦，终于来到了长城脚下。她四处打听丈夫的下落，最后有人告诉她，说她丈夫早就累死了，被埋在长城的下面。听后，孟姜女就大哭了起来。她一边哭，一边喊着丈夫的名字。她在长城脚下不知哭了多少日子。忽然有一天，一声巨响，长城被孟姜女哭倒了几十里，她丈夫的尸骨露了出来。孟姜女紧抱着丈夫的尸体，跳海自尽了。

生词：

1. 孟 mèng　a surname
2. 姜 jiāng　a surname; ginger
3. 范（範） fàn　a surname; example
4. 秦 qín　a surname
   秦朝 qín cháo　Qin Dynasty (221-206 B.C.)
5. 修筑 xiū zhù　build; construct
6. 决定 jué dìng　decide
7. 棉 mián　cotton　棉衣 mián yī　cotton-padded clothes
8. 经历 jīng lì　go through; experience
9. 千辛万苦 qiān xīn wàn kǔ　all kinds of hardships
10. 终（終） zhōng　end; finish; death
    终于 zhōng yú　in the end; finally
11. 脚下 jiǎo xià　under one's feet
12. 四处 sì chù　everywhere

13. 打听 dǎ tīng　inquire about
14. 落 luò　fall; drop　下落 xià luò　whereabouts
15. 埋 mái　cover up; bury
16. 喊 hǎn　shout; cry out; call
17. 忽 hū　suddenly　忽然 hū rán　suddenly
18. 尸（屍） shī　corpse　尸体 shī tǐ　corpse
19. 骨 gǔ　bone; skeleton　尸骨 shī gǔ　skeleton; remains
20. 露 lù　dew; in the open; reveal
21. 紧（緊） jǐn　tight; firm; close; urgent
    自尽 zì jìn　commit suicide

专有名词：

1. 范喜良 fàn xǐ liáng　Fan Xiliang
2. 孟姜女 mèng jiāng nǚ　Meng Jiang Lady
3. 秦始皇 qín shǐ huáng　First Emperor of the Qin Dynasty (259-210 B.C.)

25

第二单元　时事与娱乐

第四课　通讯与媒体

CD1 T13

网络： 互联网，这个二十世纪最伟大的发明之一，为人类提供了一个可以人人共享的资讯世界，它改变了人类的生存方式、思维方式和交往方式。由于网络的出现，人们的生活节奏加快了，效率也提高了。网络提供的信息使人们眼界大开，思路更加开阔。电子邮件使人们的交流方式发生了一次革命。

报刊： 虽然有了互联网，但是报纸、杂志还在发挥着它们的作用。报刊便于携带，人们浏览起来更加方便。在旅途中、休闲时，翻翻报纸、看看杂志是消磨时间的好方式。因此在电脑被广泛使用的今天，报纸和杂志看来还不会马上被取代。

广播、电视： 由于其他媒体的出现与普及，听广播的人越来越少了。电视机几乎取代了收音机。看电视早已成为人们生活的一部分。从电视上，人们可以同时听到和看到世界各地的时事新闻、财经消息、体育、娱乐报道、天气预报等。现在电视频道的选择也越来越多了，如果你有时间的话，一天24小时都可以坐在电视机前观看。

生词:

1. xùn 讯（訊） inquire; question; message
   tōng xùn 通讯 communication　　zī xùn 资讯 information
2. méi 媒 matchmaker; vehicle
   méi tǐ 媒体 media
3. luò 络（絡） sth. resembling a net
   wǎng luò 网络 network
4. hù lián wǎng 互联网 internet
5. shì jì 世纪 century
6. rén lèi 人类 mankind
7. xiǎng 享 enjoy; share　　gòng xiǎng 共享 share
8. shēng cún 生存 survive
9. fāng shì 方式 way; pattern
10. sī wéi 思维 thought; thinking
11. jiāo wǎng 交往 associate; contact
12. chū xiàn 出现 appear; emerge
13. zòu 奏 play; perform　　jié zòu 节奏 rhythm
14. xiào 效 effect; imitate; dedicate oneself
15. lǜ 率 rate; ratio　　xiào lǜ 效率 efficiency
16. tí gāo 提高 raise; improve
17. xìn xī 信息 message; news; information
18. yǎn jiè 眼界 field of vision or view
19. sī lù 思路 train of thought
20. kuò 阔（闊） wide; broad; rich　　kāi kuò 开阔 widen
21. diàn zǐ yóu jiàn 电（子）邮（件） e-mail
22. jiāo liú 交流 exchange
23. fā shēng 发生 happen; occur

24. gé 革 change; leather　　gé mìng 革命 revolution
25. huī 挥（揮） wave; shake; wipe off; command
   fā huī 发挥 bring into play; develop; expand
26. zuò yòng 作用 affect; action; effect
27. biàn yú 便于 be convenient for
28. xié 携（攜） carry; bring along　　xié dài 携带 bring along
29. liú 浏（瀏） swift　　liú lǎn 浏览 browse
30. lǚ tú 旅途 journey
31. xián 闲（閒） not busy; leisure　　xiū xián 休闲 have leisure
32. fān 翻 turn (over; up; upside down; inside out)
33. xiāo 消 disappear; reduce　　xiāo mó 消磨 wear down
   xiāo xi 消息 news; information
34. fàn 泛 emerge; extensive　　guǎng fàn 广泛 extensive
35. qǔ dài 取代 replace
36. bō 播 spread; broadcast　　guǎng bō 广播 broadcast
37. pǔ jí 普及 popular; spread
38. shōu yīn jī 收音机 radio set
39. shí shì 时事 current affairs
40. cái jīng 财经 finance and economy
41. bào dào 报道 report
42. yù 预（預） beforehand　　yù bào 预报 forecast
43. tiān qì yù bào 天气预报 weather forecast
44. pín 频（頻） frequently
   pín dào 频道 frequency channel
45. xuǎn 选（選） choose; elect
46. zé 择（擇） select; choose　　xuǎn zé 选择 select

根据课文回答下列问题：

1. 互联网给人类生活带来了哪些变化？

2. "人们的交流方式发生了革命"，指的是什么？

3. 有了互联网，报纸和杂志还会存在吗？为什么？

4. 如今听收音机的人还有吗？多不多？

5. 为什么现在看电视的人越来越多了？

●●●

1 讨论

电脑能为我们做些什么？

- 计算
- 打字
-
-
-
-

2 讨论

如今使用手机的人越来越多，各行各业人士、男女老少，几乎人手一部手机。手机的更新换代特别快，每年都有新型号问世。手机体积小，便于携带，使用方便。除此之外，手机还有很多其他的用途。

请回答以下问题：

1. 手机的出现给人们的日常生活带来了哪些方便与好处？

2. 哪些人最应该有手机？

3. 在校学生应不应该带手机去学校？学生带手机去上学有什么好处和坏处？

4. 你有手机吗？你手机的费用每个月大概多少钱？谁来支付？

3 CD1 T14 填充

时 间	地 点	事 件
1.		
2.		
3.		
4.		

4 根据你自己的情况回答下列问题

1. 你能说出几种本地报纸？哪几种？
2. 你通常阅读什么报纸？
3. 你每天都从哪儿得到新闻？
4. 你常看CNN（美国有线电视新闻网）、BBC（英国广播公司）或CCTV（中国中央电视台）的新闻报道吗？
5. 你通常看英文节目还是中文节目？
6. 你最喜欢看什么电视节目？看哪个频道？
7. 你经常浏览什么网页？看什么内容？
8. 你每天最想了解哪些方面的新闻？
9. 你每天都收发电邮吗？
10. 你家可以收看有线电视节目吗？

诗歌欣赏

赋得古原草送别

白居易

离离原上草，
一岁一枯荣。
野火烧不尽，
春风吹又生。

5 回答下列问题

（一）

1. 以前的学生放学后一般会做什么？

2. 现在的学生放学后一般会做什么？

3. 下面哪几句话正确？

☐ a) 现在的学生可以连续看几个小时的电视。

☐ b) 现在的学生从来都不看报。

☐ c) 以前的学生比现在的学生有更多的时间看书。

☐ d) 电脑取代了电视。

（二）

1. 电是什么时候发明的？

2. 广播和电视给人们的生活带来了什么？

3. 下面哪几句话正确？

☐ a) 电视出现以前就有了电脑。

☐ b) 只有在白天才可以上网。

☐ c) 上网是跟外界联络的一种方法。

☐ d) 互联网方便了人们的生活。

6 讨论

电脑将怎样为我们服务？

今后的电脑将无所不能，它能为人类的日常生活带来很多便利，为人类"全心全意"地服务。想像今后的电脑将可能成为：

－ 图书馆

－ 旅行社

－ 邮局

－ 电影院

－ 商场

－ 学校

－ 医院

例子：

学生1：今后不用去图书馆，有些小说在网上也能看到。

学生2：我以前经常去图书馆看当天的报纸，现在在网上也能看到。

学生3：今后也不用去图书馆看杂志，因为在网上都有，但是要付费。

7 讨论

1 我们生活在一个电子科技飞速发展的时代，因此人与人之间的沟通变得既快捷又方便。打个电话、发个传真或电邮，便可以使信息在几秒钟内从地球的这端传到那端。

互联网给人类生活、工作和学习带来了哪些好处和坏处？

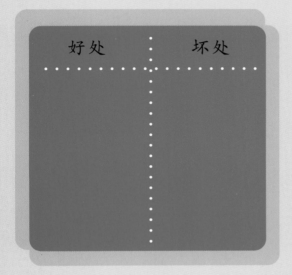

好处	坏处

参考词语：

聊天	交友	娱乐	坏人
影响	购物	交费	色情
上瘾	做生意	玩游戏	
查资料	消磨时光		

2 在网上聊天室里，一个人不用透露自己的真实姓名和身份，这样下去会使人养成什么习惯？带来什么后果？

参考词语：

诚实	想像	性别	年龄	实话	撒谎
保护	透露	习惯	时尚	误解	得意
尴尬	提醒	后果	编造	住址	聊天室
电话号码					

8 讨论

- 电视
- 广播
- 电脑
- 报纸
- 杂志
- 电影

你认为这些媒体对人类有哪些影响？

例子：

我认为电视对人类影响很大，因为电视把战争、饥荒、灾难等真实的画面传给观众，激发人们对和平、自由和幸福的渴望与追求。电视还打破了国界，使得观众坐在电视机前便知道世界各地发生的事。

9 调查

派什么用场？

	播放音乐	电影	游戏	呼救	交通信息	国内、外新闻	短讯	打字	上网
电视									
收音机									
手机									
报纸									
杂志									
电脑									

10 讨论

情景： 在一个星期内不能看电视，不能听广播，不能用电话和电脑，也不能去电影院看电影。除了上学（8:00–15:30）以外，你怎样安排你的课余时间？

要求：

1. 活动要丰富多彩，符合学生年龄、生活和物质条件。

2. 星期一到星期五的每天晚上做两个小时的功课。从放学后到睡觉之前这段时间里要安排活动。

3. 星期六、星期日分别做两个小时的功课，其余时间要安排活动。

阅读（四） 孔子

CD1 T16

孔子是中国历史上春秋末期的鲁国人。他是中国古代著名的思想家、教育家，也是儒家学派的创始人。他的思想及学说对后人产生了极其深远的影响。

孔子从小就非常聪明好学，而且志向远大。可惜他早年的学说并没有受到欢迎，所以晚年时他开始专心教学及著书。

孔子的教学思想主张"有教无类"，也就是说不论学生有什么样的出生背景，他都收。孔子还主张"学而时习之"，意思是学习时应该经常复习。孔子要求学生"学而不厌"，而对老师则要求"诲人不倦"。孔子还特别主张"仁"和"礼"，教育孩子要尊敬师长、孝顺父母。

孔子死后，他的弟子把他的言论思想编进了《论语》一书，书中有很多教人求学、做人的道理，对后人的影响极为远大。

生词：

#	词	拼音	释义
1	春秋	chūn qiū	the Spring and Autumn Period (722-481 B.C.)
2	末期	mò qī	last stage
3	儒	rú	Confucianism
4	学派	xué pài	school of thought
5	创（創）	chuàng	create
	创始人	chuàng shǐ rén	founder
6	学说	xué shuō	teachings
7	产生	chǎn shēng	cause
8	极其	jí qí	extremely
9	深远	shēn yuǎn	profound
10	志向	zhì xiàng	ambition
11	远大	yuǎn dà	lofty
12	主张	zhǔ zhāng	advocate
13	有教无类	yǒu jiào wú lèi	in education, there should be no distinction of social status
14	不论	bú lùn	regardless of
15	背景	bèi jǐng	background
16	学而时习之	xué ér shí xí zhī	learn and constantly review what one has learned
17	要求	yāo qiú	require
18	学而不厌	xué ér bú yàn	be insatiable in learning
19	则（則）	zé	indicating contrast
20	诲（誨）	huì	teach
21	倦	juàn	tired
	诲人不倦	huì rén bú juàn	be tireless in teaching
22	仁	rén	benevolence
23	尊	zūn	respect
24	敬	jìng	respect　尊敬 zūn jìng respect
25	孝	xiào	filial piety
26	顺	shùn	obey; in good luck
	孝顺	xiào shùn	show filial piety
27	言论	yán lùn	opinion on public affairs
28	编（編）	biān	compile
29	求学	qiú xué	pursue one's studies
30	做人	zuò rén	conduct oneself

专有名词：

#	词	拼音	释义
1	孔子	kǒng zǐ	Confucius (551-479 B.C.)
2	《论语》	lún yǔ	the Analects of Confucius

第五课　娱乐与休闲

1　张剑是个十足的电影迷，看电影是他唯一的嗜好。只要有新的影碟出来，他一定会去租来看。什么科幻片、动作片、故事片、武打片等等，他都爱看。中国影视明星、好莱坞影星，他都很熟悉。他平时最关心媒体上的娱乐新闻。

2　黄希英非常喜欢跳舞，什么民族舞、拉丁舞等等，她都会跳。她最擅长芭蕾舞。她从五岁开始学跳芭蕾舞，已经跳了十年了。每年暑假，芭蕾舞学校都编排一场演出。她曾经参加过《睡美人》、《天鹅湖》等名剧的演出，而且总是演主角。在学校她最喜欢上戏剧课，每年都参加学校的话剧表演。她打算中学毕业后去英国的大学学习戏剧专业。她以后想当一个演员。

3　丁少聪喜欢运动，尤其是球类运动。他板球打得好，足球踢得更好，可以称得上是个足球迷。他从小学开始支持英国的利物浦足球俱乐部队。只要电视上有他们的比赛，他半夜都会爬起来看。如果他们赢了，他会为他们欢呼叫好；如果输了，他会替他们感到失望扫兴。四年一次的世界杯足球赛，他一定是个忠实的观众。

生词：

1. shí zú 十足　sheer
2. mí 迷　be confused; crazy about; fan
   qiú mí 球迷　(ball game) fan
3. wéi 唯　only　wéi yī 唯一　only
4. shì 嗜　be addicted to
   shì hào 嗜好　hobby; addiction
5. huàn 幻　imaginary
   kē huàn piàn 科幻片　science fiction movie
6. dòng zuò piàn 动作片　action movie
7. gù shì piàn 故事片　feature film
8. wǔ dǎ piàn 武打片　kung fu movie
9. míng xīng 明星　star
10. yǐng xīng 影星　movie star
11. xī 悉　know; learn; be informed
    shú xī 熟悉　know sth. or sb. well
12. nèi róng 内容　content
13. lā dīng 拉丁　Latin
14. shàn 擅　be good at; do sth. without the approval
    shàn cháng 擅长　be good at
15. bā lěi wǔ 芭蕾舞　ballet
16. biān pái 编排　write (a play, etc.) and rehearse
17. céng 曾　once　céng jīng 曾经　once
18. é 鹅（鵝）goose　tiān é 天鹅　swan
19. hú 湖　lake
20. zhǔ jué 主角　leading role

21. huà jù 话剧　stage play
22. zhuān yè 专业　specialized subject; professional
23. yǎn yuán 演员　actor or actress
24. yóu 尤　fault; especially
    yóu qí 尤其　particularly
25. qiú lèi 球类　ball games
26. bǎn 板　board; plate
    bǎn qiú 板球　cricket
27. chí 持　hold; grasp; support
    zhī chí 支持　support
28. jù 俱　complete; all　jù lè bù 俱乐部　club
29. bàn yè 半夜　midnight
30. pá 爬　crawl
31. yíng 赢（贏）win
32. huān hū 欢呼　hail; cheer
33. jiào hǎo 叫好　applaud
34. shū 输（輸）lose
35. sǎo xìng 扫兴　feel disappointed
36. guān zhòng 观众　audience

专有名词：

1. hǎo lái wū 好莱坞　Hollywood
2. shuì měi rén 《睡美人》　Sleeping Beauty
3. tiān é hú 《天鹅湖》　Swan Lake
4. lì wù pǔ 利物浦　Liverpool
5. shì jiè bēi 世界杯　World Cup

35

根据课文回答下列问题：

1. 张剑有什么嗜好？

2. 他每天最关心哪些新闻？

3. 黄希英最擅长跳哪种舞？

4. 她演出过什么芭蕾舞剧？

5. 她大学毕业以后想做什么？

6. 丁少聪是哪个球队的球迷？

7. 丁少聪每次都看他支持的球队比赛吗？

8. 世界杯足球赛每几年举行一次？

1 调查

（一）电影

1. 请为下列电影就各人兴趣打分。"1"为喜欢；"2"为还可以；"3"为不喜欢

   动作片_____ 爱情片_____ 动画片_____ 喜剧片_____

   科幻片_____ 历史片_____ 纪录片_____ 武打片_____

2. 你最爱看的中文电影_____。

3. 你最爱看的英文电影_____。

（二）电视

1. 你每天看多久？

电视节目＼时间	0.5 小时	0.5–1 小时	1–1.5 小时	1.5–2 小时	2 小时以上
国内、外新闻					
体育新闻					
电视剧					
动画片					
电影					
财经新闻					
娱乐					

2. 你最爱看的电视节目_____。

3. 你最不爱看的电视节目_____。

2 CD1 T18 填充

1. 锦标赛在 2003 年＿＿＿＿＿＿＿＿举行。

2. 锦标赛在＿＿＿＿＿＿＿＿＿＿＿举行。

3. 参赛的运动员人数有＿＿＿＿＿＿＿＿。

4. 这次是第＿＿＿＿＿＿＿届国际花样滑冰锦标赛。

5. 参赛运动员来自＿＿＿＿＿＿＿、欧洲、大洋洲和＿＿＿＿＿＿＿。

诗歌

乐游原

李商隐

向晚意不适，
驱车登古原。
夕阳无限好，
只是近黄昏。

欣赏

3 调查

课余时间你做什么?

1. 上网浏览	8.	15.
2. 发呆	9.	16.
3.	10.	17.
4.	11.	18.
5.	12.	19.
6.	13.	20.
7.	14.	21.

4 回答下列问题

（一）

1. 电影《哈利·波特与密室》将于哪天在北京开始上演？

2. 与电影有关的产品有哪些？（至少三个）

3. 下面哪几句话正确？

☐ a) 哈利·波特茶杯也是相关产品之一。

☐ b) 哈利·波特专卖店于 2003 年 1 月 24 日开张。

☐ c) 在北京街头到处可以看到《哈利·波特与密室》的电影广告和海报。

☐ d) 每天大约有一万人去专卖店买东西。

（二）

1. 法国伟大的文学家雨果是哪年出生的？

2. 大型音乐剧《巴黎圣母院》将在哪儿演出？连续演出几场？

3. 下面哪几句话正确？

☐ a) 在北京经常可以看到世界著名音乐剧的原装演出。

☐ b) 票价 520 块一张。

☐ c) 人们可以通过电话订票，也可以在网上订票。

☐ d) 演出于 2002 年 12 月 20 日开始。

5 假设你是一名电影演员，有一个记者采访你。完成下面的对话

记者：当演员一定很有趣吧！

演员：这是一份很辛苦的工作。在电影里看到的一分钟，我们有时候得排演一、两个小时。

记者：真的吗？

演员：一场戏要拍好几次，把拍得最好的剪接在一起才成为一部电影。

记者：那么每场戏至少要拍几次？

演员：这很难说，有的拍了十几次导演还不满意。

记者：你能不能说一下你自己？

演员：

记者：

自我测试

你的学习负担是否太重了？以下测试可以帮助你作出判断。

	从来不 = 1 分	很少 = 2 分	经常 = 3 分	总是 = 4 分
1. 功课太多，你觉得需要别人帮助。				
2. 你每晚睡五、六个小时。				
3. 你经常发无名火。				
4. 你经常一口气学习两、三个小时。				
5. 你总是一脑多用，同时想好几件事。				
6. 你几乎没有空闲时间轻松一下。				
7. 你经常吃不下饭，睡不好觉。				
8. 你很在乎考试成绩。				
9. 学习上遇到困难时，你会很着急。				
10. 你每个学期都订学习计划。				
11. 课间休息时，你还留在教室里做功课。				
12. 如果你做错事，你会生自己的气。				
13. 你几乎没有时间跟朋友出去玩。				
14. 你今年没有参加任何课外活动。				
15. 你没有时间看电视。				

35 分以下：学习量适中。

36-45 分：　学习负担比较重，应该适量丰富课余生活。请制定改进计划。

46 分以上：学习负担太重，一定要想办法调整。请制定改进计划。

7 回答下列问题

哈利·波特是个什么样的孩子?

1. 他长得什么样?

2. 他的脑门上有什么记号?

3. 他手里拿着什么魔具?

4. 他从小是否有父母亲在身边?

5. 他是在怎样的环境中长大的?

6. 他父母是做什么的?

7. 他自己有魔法吗?

8. 十一岁生日那年，他的生活发生了什么 变化? 他去了哪儿?

9. 他有几个好朋友? 他们分别叫什么名字?

10. 根据这套书而拍成的电影现在有几部了? 这几部电影分别叫什么名字?

参考词语:

收到　寄养　惊险　经历

巫师　原来　书呆子　长得(像)

一道伤疤　魔法学校

魔法高强　父母双亡

一支扫把　魔法能力

一副眼镜　入学通知书

一根魔术棒　对……(不)好

8 做一个口头报告(以下问题仅供参考)

1. 你有什么嗜好?

2. 你经常买影碟看吗? 你最近看了什么影碟?

3. 好莱坞的影星中，你最喜欢哪一个? 为什么?

4. 你喜欢跳舞吗? 跳什么舞? 从什么时候开始跳舞的? 是否参加过比赛?

5. 你看过哪些芭蕾舞剧? 请讲一下其中的一个。

6. 你参加过学校的话剧演出吗? 你演过什么角色? 从演出中你学到了什么?

7. 你常常看球赛吗? 你支持哪个球队? 你支持的球队最近排名第几?

8. 你擅长哪种球类活动? 打得怎么样?

9. 你看世界杯足球赛吗? 你每场都看还是只看决赛?

10. 你看过马戏团的表演没有? 看过什么动物表演? 最近的一次是在哪儿看的?

11. 你看过杂技表演吗? 最近的一次你是跟谁一起去看的? 一张门票多少钱?

12. 你看过时装表演吗? 你最喜欢哪一个模特儿?

13. 你喜欢收藏东西吗? 收藏什么东西?

14. 你集邮吗? 你收集哪些国家的邮票? 从集邮中你学到了什么?

阅读（五） 老子

CD1 T20

　　老子是中国古代伟大的思想家和哲学家。他从小勤奋学习，阅读过大量的古代书籍，中年时已成为有名的学者。

　　老子是道家的创始人。他写的那篇五千多字的《道德经》是道家哲学的经典著作。老子在这部著作中表达了他的宇宙观、人生观和政治观。道教是中国土生土长的宗教，它以老子的"道"的哲学概念为基础，正式创立于东汉中叶。

　　老子有关人生的观点在百姓生活中流传很广。一般人以为一生能吃好、穿好、住好便是幸福了，但老子认为只追求物质享受的话，会损害做人应有的本性。他认为"贪婪招祸"，"知足常乐"。老子还认为世上万物都有两方面，"物极必反"，人生的福祸也是轮流更替的。

生词：

1 zhé 哲 intelligent　zhé xué 哲学 philosophy	17 zhèng shì 正式 formal	31 tān 贪（貪）greedy
2 qín 勤 diligent　qín fèn 勤奋 industrious	18 chuàng lì 创立 found	32 lán 婪 greedy　tān lán 贪婪 greedy
3 yuè dú 阅读 read	19 dōng hàn 东汉 Eastern Han Dynasty (25-220)	33 zhāo 招 cause; attract　tān lán zhāo huò 贪婪招祸 greed causes misfortune and disaster
4 xué zhě 学者 scholar	20 zhōng yè 中叶 middle period	
5 dào jiā 道家 Taoists　dào jiào 道教 Taoism	21 yǒu guān 有关 relate to	34 zhī zú cháng lè 知足常乐 contentment is happiness
6 piān 篇 piece of writing; measure word	22 guān diǎn 观点 viewpoint	
7 jīng diǎn 经典 classics; scriptures	23 bǎi xìng 百姓 civilians	35 wàn wù 万物 all creatures
8 zhù zuò 著作 work; book	24 liú chuán 流传 spread	36 fāng miàn 方面 aspect
9 yǔ 宇 universe	25 zhuī 追 chase; pursue　zhuī qiú 追求 pursue	37 wù jí bì fǎn 物极必反 no extreme will last long
10 zhòu 宙 time　yǔ zhòu 宇宙 universe　yǔ zhòu guān 宇宙观 world view	26 wù zhì 物质 material; substance	38 lún liú 轮流 take turns
11 rén shēng guān 人生观 outlook on life	27 xiǎng shòu 享受 enjoy; treat	39 gēng tì 更替 alternate; interchange
12 tǔ shēng tǔ zhǎng 土生土长 locally born and bred	28 sǔn 损（損）harm	**专有名词:**
13 zōng 宗 sect　zōng jiào 宗教 religion	29 hài 害 harm; damage　sǔn hài 损害 harm; damage	1 lǎo zǐ 老子 Laozi (581-500 B.C.)
14 gài niàn 概念 concept	30 běn xìng 本性 innate nature	2 dào dé jīng 《道德经》 Classic of the Way and Virtue
15 jī 基 base		
16 chǔ 础（礎）plinth　jī chǔ 基础 foundation		

41

第六课　社会名流

1

　　张艺谋是中国第五代杰出的电影导演之一，为中国电影走向世界作出了很大的贡献。他1951年出生于西安市，1968年正赶上中国的文化大革命，他初中毕业后便去了农村，后来又当过工人。1978年他考入了北京电影学院摄影系，毕业后分配到广西电影制片厂当摄影师。

　　从1984年开始，张艺谋先后做过摄影师，当过演员，后来才转向导演电影。他导演的《红高粱》、《活着》、《大红灯笼高高挂》、《我的父亲和母亲》等影片在国内和国际的电影节上多次获过奖。他执导的《英雄》曾进军奥斯卡，角逐最佳外语片奖。

2

　　英国已故王妃戴安娜生于1961年，1997年8月31日死于一场车祸。1981年戴安娜与查尔斯王子结婚，他们的结合可以说是一个美丽的童话故事，不幸的是他们的婚姻最后以离婚而告终。

　　戴安娜性格活泼、平易近人、富有爱心。她参与过很多慈善活动，曾为一百多家慈善机构筹款，还捐出自己的礼服用于拍卖。戴安娜不愿意受王室传统礼仪的约束，以实际行动塑造了一个现代王妃的形象。

生词：

1. shè huì 社会 society
2. míng liú 名流 celebrity
3. jié 杰（傑）outstanding　jié chū 杰出 outstanding
4. dǎo yǎn 导演 director
5. gòng 贡（貢）tribute
6. xiàn 献（獻）offer　gòng xiàn 贡献 contribute
7. gǎn shàng 赶上 catch up with; encounter
8. nóng cūn 农村 rural area; countryside
9. shè yǐng 摄影 take a photo; film
   shè yǐng shī 摄影师 photographer
10. xì 系 department
11. pèi 配 distribute; assign　fēn pèi 分配 assign; allocate
12. yǐng piàn 影片 film
13. huò 获（獲）obtain; win
14. jiǎng 奖（獎）prize　huò jiǎng 获奖 win a prize
15. zhí 执（執）take charge of　zhí dǎo 执导 direct
16. xióng 雄 male; mighty　yīng xióng 英雄 hero
17. jìn jūn 进军 advance
18. zhú 逐 pursue　jué zhú 角逐 contest
19. jiā 佳 excellent　zuì jiā 最佳 best
20. yǐ gù 已故 late; deceased
21. fēi 妃 wife of a prince　wáng fēi 王妃 princess
22. chē huò 车祸 traffic accident
23. yǔ/yù 与（與）and; participate　cān yù 参与 participate
24. jié hé 结合 be united in marriage; combine
25. lì 丽（麗）beautiful　měi lì 美丽 beautiful
26. tóng huà 童话 fairy tales
27. bú xìng 不幸 unfortunate
28. yīn 姻 marriage　hūn yīn 婚姻 marriage
29. lí hūn 离婚 divorce
30. gào zhōng 告终 come to an end
31. píng yì jìn rén 平易近人 modest and easy of access
32. fù yǒu 富有 rich in; full of
33. cí 慈 kind; loving　cí shàn 慈善 charitable
34. gòu 构（構）construct　jī gòu 机构 organization
35. chóu 筹（籌）raise
36. kuǎn 款 sum of money　chóu kuǎn 筹款 raise money
37. juān 捐 donate; contribute
38. lǐ fú 礼服 full dress
39. pāi mài 拍卖 auction
40. yuàn 愿（願）wish; willing　yuàn yì 愿意 willing; wish
41. wáng shì 王室 royal family
42. yuē shù 约束 restrain; constrain
43. shí jì 实际 actual
44. xíng dòng 行动 act
45. sù 塑 model; mould　sù zào 塑造 model; portray
46. xíng xiàng 形象 image

专有名词：

1. wén huà dà gé mìng 文化大革命 the Cultural Revolution (1966-1976)
2. hóng gāo liáng 《红高粱》 Red Sorghum
3. huó zhe 《活着》 To Live
4. dà hóng dēng long gāo gāo guà 《大红灯笼高高挂》 Raise the Red Lantern
5. wǒ de fù qin hé mǔ qin 《我的父亲和母亲》 The Road Home
6. ào sī kǎ 奥斯卡 Oscar
7. dài ān nà 戴安娜 Princess Diana
8. chá ěr sī wáng zǐ 查尔斯王子 Prince Charles

根据课文回答下列问题:

1. 张艺谋是谁?

2. 张艺谋上大学之前曾经做过什么?

3. 张艺谋从电影学院毕业后做过哪些工作?

4. 他执导的电影在国际电影节获过奖吗?

5. 戴安娜结婚时多大年纪?

6. 戴安娜的婚姻结局怎样?

7. 戴安娜是怎样支持慈善机构的?

8. 她是怎么死的?

1 介绍一个你熟悉的名人

- 他/她的姓名及国籍

- 他/她的职业

- 他/她结婚了吗?结过几次婚?有没有子女?

- 他/她的长相和性格是怎样的?

- 他/她擅长什么?

- 媒体经常报道他/她吗?

- 他/她为公众做了哪些善事?

- 他/她参与过哪些慈善活动?

- 你为什么喜欢他/她?

- 你怎样得到有关他/她的消息?

- 你有没有收集他/她的照片及其他东西?

诗歌 欣赏

回乡偶书

贺知章

少小离家老大回,

乡音无改鬓毛衰。

儿童相见不相识,

笑问"客从何处来?"

44

2 CD1 T22 填充

威廉王子	
1. 长相	
2. 身高	
3. 曾就读学校	
4. 爱好	
5. 喜欢穿的衣服	
6. 喜欢看的电影	
7. 喜欢听的音乐	

3 讨论

公众人物有哪几类？都有哪些人物？（每一类列举两个）

虽然他们有名，但他们的生活中有哪些不自由的地方？

- 影视明星：成龙、李连杰
- 模特儿
-
-
-
-
-

- 行动不自由
-
-
-
-
-
-

-
-
-
-
-
-
-

参考词语：

传媒　说话　行动　保镖　随便　绯闻

子女　拍照　跟踪　记者　焦点　处处小心

4 采访（以下问题仅供参考）

1. 你经常捐款吗？ 为哪个慈善机构捐款？

2. 你为慈善活动捐过什么物品，比如书籍、衣物等？

3. 你们学校组织过义卖活动吗？ 你曾经为此活动做过什么？

4. 你觉得当地哪些人最需要帮助？

5. 你为当地需要帮助的人士做过哪些善事？

6. 你认为帮助这些人最有效的办法是什么？

7. 你有没有组织过筹款活动？ 你曾经通过什么办法来筹款？

5 CD1 T23 回答下列问题

（一）

1. 比吉斯兄弟原籍哪里？

2. 比吉斯兄弟的父母曾经做过什么工作？

3. 以下哪几句话正确？

   ☐ a) 比吉斯三兄弟从六十年代就开始了他们的摇滚生涯。

   ☐ b) 他们主要演唱自己创作的歌曲。

   ☐ c) 八十年代是他们的黄金岁月。

   ☐ d)《周末狂热》是他们推出的最后一首歌。

（二）

1. 这个乐队由哪些人组成？

2. 这个乐队演奏什么乐器？(列出两种)

3. 以下哪几句话正确？

   ☐ a) 乐队只演奏中国古典音乐。

   ☐ b) "中西合璧"是这个乐队的演奏风格。

   ☐ c) 乐队的演奏服装一律是中式礼服。

   ☐ d) 乐队的演奏给观众带来听觉和视觉上的享受。

6 讨论

1. 中国人传统的婚姻观念是"白头到老"、"百年好合"。在你们国家人们的传统婚姻观念是怎样的?

2. 在现代社会里,因为人们不像以前那样重视婚姻,因此离婚率上升了,你是否同意?

3. 为什么现在离婚的人多了?你是否同意以下的说法?

   - 妇女地位提高了
   - 妇女在经济上独立了
   - 夫妻感情不合
   - 男方或女方有婚外情

4. 父母离婚对子女带来什么影响?你是否同意以下的说法?

   - 子女没人照顾
   - 子女没有一个完整的家庭
   - 子女以后也可能会离婚
   - 子女的性格发展可能受到影响

5. 你觉得怎样才能有更持久的婚姻?你是否同意以下的说法?

   - 结婚之前男女双方应多花点时间了解对方
   - 夫妻之间要经常交流思想、看法
   - 夫妻之间要尊重对方的兴趣、爱好
   - 夫妻之间要互相体谅、理解

7 小组活动

例子： 糕饼义卖：动员全班同学捐出各种糕饼甜点，在课间和午饭休息时间在校园内卖给老师和学生，卖来的钱捐献给一个慈善机构。

1 一个星期前把广告设计出来，并张贴在校园内。

十年级三班
糕饼甜点义卖

时间：9月17日中午
地点：学校礼堂

2 列出每个学生捐的食物。
蛋糕：吴春华
　　　孙丽英
　　　郑雪琴
饼干：周文强
　　　唐世年
　　　何有光
爆玉米花：
冰淇淋：
……

3 列出义卖小组名单。
小组1：张力　齐文秀
小组2：古云田　杨林
小组3：
……

4 两人管钱：高新　孔石

5 捐助对象：残疾儿童孤儿院
理由：

该你了！

慈善活动1：
二手货义卖
动员全班同学捐出家里不用的东西拿到学校来卖给老师和学生。
二手货分类：衣服……
何时拿来学校：
何时何地义卖：
捐助对象及理由：
广告设计：

慈善活动2：
24小时禁食 （星期五早上7:00—星期六早上7:00）
学生：28个年龄12－13岁八年级学生
天气：夏天，气温在28～30℃
要求：在24小时内只可以喝水，少许果汁，不能吃口香糖和任何糖果。放学后全班同学与一位老师集中在一个教室里过夜，白天的活动需要严格控制，晚上要安排娱乐活动。

1. 星期五7:00前早饭吃什么？
2. 星期五一天在校上课要注意什么？
3. 每个同学过夜要带什么东西？
4. 安排些什么娱乐活动来打发时间？
5. 星期六早饭该吃什么？
6. 捐助哪个慈善机构？为什么？
7. 怎样做宣传工作？

阅读（六） 玄奘

CD1 T24

　　古代神话小说《西游记》讲的是唐僧去西天取经的故事。虽然小说里的许多故事是虚构的，但唐僧取经却真有其事。

　　唐僧，即玄奘，是唐代著名的高僧、佛教学者、翻译家和旅行家。玄奘出生在公元602年，少年时就爱好佛学，13岁当了和尚。后来他游历了全国各地的著名寺院，向佛学大师求教，学习佛教经典。虽然如此，玄奘对自己学到的知识还是不满足，决心到佛教发源地——印度去取经。

　　公元628年，玄奘从京城长安（今西安）出发，穿越沙漠，历尽千辛万苦，于第二年到达了印度。公元645年，玄奘回到了长安。17年间他走了5万里路，周游了许多国家，带回了675部佛经。在后来的19年时间里，他翻译了75部佛经。他还著有《大唐西域记》一书，记录了他游历过的国家的历史、风土人情、宗教信仰、地理物产等情况。玄奘于公元664年去世，享年62岁。

生词：

1. shén huà 神话 mythology
2. sēng 僧 Buddhist monk
   gāo sēng 高僧 eminent monk
3. qǔ jīng 取经 go on a pilgrimage to India for Buddhist scriptures
4. xū 虚 false　xū gòu 虚构 fabricate
5. fó jiào 佛教 Buddhism
6. yì 译（譯）translate; interprete
   fān yì 翻译 translate; interprete
7. lǚ xíng 旅行 travel; journey
8. fó xué 佛学 Buddhist learning
9. yóu lì 游历 travel
10. sì yuàn 寺院 temple; monastery

11. qiú jiào 求教 ask for advice
12. zhī shi 知识 knowledge
13. mǎn zú 满足 satisfied
14. yuán 源 source
    fā yuán dì 发源地 place of origin
15. chuān yuè 穿越 pass through
16. mò 漠 desert　shā mò 沙漠 desert
17. lì jìn 历尽 experience repeatedly
18. zhōu yóu 周游 travel around
19. yù 域 domain; region
20. jì lù 记录 record
21. yǎng 仰 look up; admire
    xìn yǎng 信仰 belief; faith

22. wù chǎn 物产 product
23. kuàng 况 condition
    qíng kuàng 情况 situation
24. xiǎng nián 享年 die at or live to the age of

专有名词：

1. xī yóu jì 《西游记》Journey to the West
2. xuán zàng 玄奘 Buddhist Scholar of Tang Dynasty (602-664)
3. yìn dù 印度 India
4. cháng ān 长安 China's ancient capital city
5. dà táng xī yù jì 《大唐西域记》Records on the Western Regions of the Great Tang Empire

第三单元　青年一代

第七课　青年人的烦恼

CD2 T1

　　进入青春期后，青少年就会有各种各样的烦恼，比如来自学习上的烦恼、人际交往方面的烦恼、家庭关系带来的烦恼、跟异性交往而产生的烦恼等等。

　　在学习方面，由于所学的科目增加了，功课多了，考试压力也大了。如果考试成绩不理想，有些人会感到烦恼。

　　在人际交往方面，由于青少年有时候情绪不稳定，心理还不太成熟，因此有时不善于处理与朋友间的关系，再加上有些青少年比较害羞、自卑，便很难交到朋友，有时甚至被其他同学欺负。还有一些青少年骄傲自大、自私、妒嫉心强，觉得自己很酷，这都使得他们很难与别人相处。

　　在家庭关系方面，有些青少年抱怨他们的父母总是觉得他们懒惰，学习不够用功。还有一些同学认为家长对他们管教太严，在某些问题上得不到家长的理解和支持，因此很难跟他们沟通。

　　在与异性交往方面，有些青少年过早谈恋爱，有时候处理不好男女之间的感情，这同样给他们带来烦恼。

　　青春期是人生的一个重要阶段，社会、学校和家庭都应该给予青少年关怀及帮助，使他们顺利地度过这段时期。青少年也应以积极、健康和向上的态度来对待烦恼。

生词：

1. 恼（惱）nǎo angry　烦恼 fán nǎo worried; upset
2. 青春期 qīng chūn qī adolescence
3. 人际 rén jì interpersonal
4. 异性 yì xìng opposite sex
5. 增加 zēng jiā increase
6. 压力 yā lì pressure
7. 绩（績）jì achievement　成绩 chéng jì achievement
8. 理想 lǐ xiǎng ideal
9. 绪（緒）xù mood　情绪 qíng xù mood
10. 稳（穩）wěn steady　稳定 wěn dìng stable
11. 心理 xīn lǐ psychology
12. 成熟 chéng shú mature
13. 善于 shàn yú be good at
14. 处理 chǔ lǐ handle; deal with
15. 羞 xiū shy; shame　害羞 hài xiū shy
16. 卑 bēi humble　自卑 zì bēi feel inferior
17. 甚 shèn very　甚至 shèn zhì even
18. 欺 qī bully; intimidate
19. 负（負）fù shoulder; bear; owe; negative　欺负 qī fu bully; take advantage of
20. 骄（驕）jiāo proud; arrogant
21. 傲 ào proud; arrogant　骄傲 jiāo ào arrogant; pride　骄傲自大 jiāo ào zì dà conceited and arrogant
22. 私 sī private; secret; illegal; selfish　自私 zì sī selfish
23. 妒 dù envy; jealous of
24. 嫉 jí jealous of　妒嫉 dù jí jealous of
25. 酷 kù cruel; very; cool
26. 相处 xiāng chǔ get along with one another
27. 怨 yuàn complain; blame　抱怨 bào yuàn complain
28. 懒（懶）lǎn lazy; sluggish
29. 惰 duò lazy; idle　懒惰 lǎn duò lazy
30. 管教 guǎn jiào discipline
31. 某 mǒu certain; some
32. 理解 lǐ jiě understand
33. 沟（溝）gōu ditch; channel　沟通 gōu tōng connect
34. 恋（戀）liàn love　恋爱 liàn ài in love
35. 之间 zhī jiān between; among
36. 感情 gǎn qíng emotion; feeling
37. 阶（階）jiē steps; rank　阶段 jiē duàn stage; phase; period
38. 予 yǔ give; grant　给予 jǐ yǔ give
39. 怀（懷）huái chest; mind; think of　关怀 guān huái show loving care for
40. 顺利 shùn lì smoothly; successfully
41. 时期 shí qī period; stage
42. 积极 jī jí positive; active
43. 向上 xiàng shàng upward; improve
44. 对待 duì dài treat; handle

51

根据课文回答下列问题：

1. 这篇课文主要谈什么人的烦恼？

2. 什么原因可能会使有些青少年考试成绩不理想？

3. 什么原因使得有些青少年不能处理好与朋友的关系？

4. 那些比较害羞和自卑的青少年在交友上会遇到哪些困难？

5. 什么性格的青少年会很难与人相处？

6. 在跟家人的关系上，青少年一般会抱怨什么？

7. 过早谈恋爱会给有些青少年带来什么烦恼？

8. 青少年应该以什么样的态度来对待烦恼？

1 CD2 T2 填充

1. ＿＿＿＿＿＿给知心姐姐写信抱怨身体超重。

2. 身体过胖的人要少吃肉，多吃 ＿＿＿＿＿、豆制品、＿＿＿＿＿等。

3. 零食不能吃得太多，特别是巧克力、＿＿＿＿＿、＿＿＿＿＿等。

4. ＿＿＿＿＿也要少喝，要多喝水。

5. 每天要坚持做＿＿＿＿＿的体育运动，例如＿＿＿＿＿、＿＿＿＿＿、＿＿＿＿＿等。

6. 要经常称一下自己的＿＿＿＿＿。

2 讨论

1. 什么是爱情？

2. 你心目中的男朋友/女朋友是怎样的？

3. 热恋中的人跟以前的他/她有什么区别？

4. 第一次约会人们一般会谈些什么话题？

5. 恋人们一般去哪儿约会？

6. 失恋的人一般会有哪些变化？

7. 应该怎样正确对待"失恋"？

参考词语：

纯洁	付出	体贴	恨　帅
漂亮	英俊	潇洒	幽默
苦恼	人品	吃醋	浪漫
打扮	撒娇	心情	勇敢
坚强	寻短见	无条件	
闷闷不乐		愁眉苦脸	
面对现实		寻求帮助	
找回自信		没心思学习/工作	

3 讨论

学生的烦恼:

- 父母管得太严,自己不能作决定。
- 父母经常出差或者晚上很晚回家。
- 父母总是拿我跟别人相比。
- 父母对学习成绩的要求过高。
- 父母不顺心时经常向子女发火。
- 父母总觉得他们所做的一切都是为了子女好。
- 父母从来都不接受子女的建议。
- 父母总是说话不算数。
- 父母从来都不以身作则。

例子:

学生1: 我有同感,我父母就是这样的。

学生2: 我父母比较通情达理,他们会事先听取我的意见。

学生3: 我父母从来都不管我,什么决定都由我自己作。

学生4: 我父母一般大事过问,小事不管。

诗歌欣赏

相　思

王　维

红豆生南国,

春来发几枝。

　　　　xié

愿君多采撷,

此物最相思。

4 讨论

学生谈恋爱

好　处	坏　处
● 在学习上可以互相帮助	● 只顾谈恋爱而忘了学习
● 可以跟对方说说心里话	● 为了赢得对方的欢心而花钱大手大脚
●	●
●	●
●	●
●	●
●	●
●	

5 讨论

1. 最酷的男歌手＿＿＿＿＿＿＿

2. 最酷的女歌手＿＿＿＿＿＿＿

3. 最酷的男歌手组合＿＿＿＿＿＿＿

4. 最酷的女歌手组合＿＿＿＿＿＿＿

5. 最酷的男运动员＿＿＿＿＿＿＿

6. 最酷的女运动员＿＿＿＿＿＿＿

7. 最酷的男演员＿＿＿＿＿＿＿

8. 最酷的女演员＿＿＿＿＿＿＿

9. 最酷的男播音员＿＿＿＿＿＿＿

10. 最酷的女播音员＿＿＿＿＿＿＿

11. 最酷的爱情电影＿＿＿＿＿＿＿

12. 最酷的动作片＿＿＿＿＿＿＿

13. 最酷的音乐剧＿＿＿＿＿＿＿

14. 最酷的卡通片＿＿＿＿＿＿＿

15. 最酷的电视连续剧＿＿＿＿＿＿＿

16. 最酷的模特儿＿＿＿＿＿＿＿

17. 最酷的艺术家＿＿＿＿＿＿＿

18. 最酷的国家首脑＿＿＿＿＿＿＿

19. 最酷的电脑游戏＿＿＿＿＿＿＿

20. 最酷的休闲活动＿＿＿＿＿＿＿

21. 最酷的职业＿＿＿＿＿＿＿

22. 最酷的老师＿＿＿＿＿＿＿

23. 最酷的城市＿＿＿＿＿＿＿

24. 最酷的杂志＿＿＿＿＿＿＿

6 谈谈你的看法，并举一个例子

在单亲家庭中成长

有人说父母离婚，对孩子也会有正面的影响。如果家长引导得好，在单亲家庭中成长的孩子可以比同龄人更成熟，自律，有责任心，自理能力更强，知道为别人着想，善解人意等等。你同意吗？请发表你的看法。

我不同意。……

例子：

我同意。他们可能会比其他孩子更成熟，因为他们要较早地面对一些问题。父亲或母亲可能为了养家而整天忙于工作，在家的时间可能较少，管孩子的时间也很少，再加上有时心情不好，使得孩子慢慢养成了独立的性格。我认识一个同学，他三岁时父母离婚了。……

7 回答下列问题

1. 对于自卑和害羞的人，你会说什么？

2. 对于因考试成绩差而感到苦恼的人，你会说什么？

3. 对于那些骄傲自大的人，你会说什么？

4. 对于那些妒嫉心强的人，你会说什么？

5. 对于那些斤斤计较、很自私的人，你会说什么？

6. 对于那些过早谈恋爱的人，你会给予什么忠告？

7. 你父母对你管教非常严，什么都要管，你会对他们说什么？

8. 对于那些不闻不问、一点儿也不关心你的家长，你会对他们说什么？

9. 对于那些欺负低年级学生的人，你会说什么？

10. 对于那些懒惰的学生，你会说什么？

参考词语：

胆子	笑话	预习	复习	优点	缺点	尊重	心态	成熟
稳定	分心	沟通	了解	想法	自由	细心	教训	处理
相处	理解	感情	不用怕	不懂就问	身心健康			
替别人着想	以学习为重	合理安排时间	朋友之间的友情					

CD2 T3 回答下列问题

（一）

1. 父母离婚后，他跟谁生活在一起？

2. 以前父亲支付他哪些费用？

3. 以下哪几句话正确？

☐ a) 父亲和母亲在同一个城市工作。

☐ b) 他一年前见过母亲。

☐ c) 他跟父亲通过电邮联系。

☐ d) 近来他的学习成绩越来越差。

（二）

1. 他为什么转学？

2. 他有什么烦恼？

3. 以下哪几句话正确？

☐ a) 他比较骄傲、自大。

☐ b) 他是个害羞和自卑的人。

☐ c) 他因为学习好而被同学妒嫉。

☐ d) 有一次，他把欺负他的同学的书包藏起来了。

9 根据你自己的情况回答下列问题

1. 你有没有自卑过？为什么事情而感到自卑？

2. 你有没有被人欺负过？如果有的话，能说一说吗？

3. 你身边有没有骄傲自大的人？你怎样跟他们交往？

4. 你看到过哪些自私的行为？

5. 你妒嫉过别人吗？你为了什么事情而妒嫉？

6. 你最近学习压力大吗？有哪些压力？

7. 你跟父母能够很好地沟通吗？举个例子。

8. 你经常抱怨吗？抱怨什么？

9. 你情绪不好的时候通常会做什么？

阅读（七）　秦始皇

CD2 T4

　　秦始皇是第一个统一中国的人。他出生于公元前259年，13岁继承王位，22岁开始亲自执政。他用了整整十年时间先后灭掉了周围六个小国，于公元前221年统一了中国，建立了中国历史上第一个王朝——秦朝。因为他是第一个皇帝，所以后人称他为秦始皇。

　　为了把皇帝的权力集中在他一个人手里，秦始皇在执政期间建立了一套以皇帝为中心的制度。他以秦国文字为基础，在全国推行标准文字，还统一了货币和度量衡。秦始皇在全国各地修建了几条大道，这样全国的交通很快就发达起来了。他动用了三十多万人，花了十年时间把先前保留下来的长城连接了起来。

　　秦始皇同时也是个暴君。为了控制人们的思想，他叫人烧掉了很多古书，活埋了不少文人，还压制不同的政见，从而影响了文化的正常发展。秦始皇过着豪华的生活，他在全国各地建造了700处行宫。他还动用成千上万的民工为自己建造了一座坟墓，至今尚未被打开。

生词：

① tǒng yī 统一 unite	⑬ biāo zhǔn 标准 standard / héng 衡 weigh; measure / dù liàng héng 度量衡 weights and measures	㉔ huó mái 活埋 bury alive
② chéng 承 continue　jì chéng 继承 inherit		㉕ wén rén 文人 man of letters; scholar
③ wáng wèi 王位 throne	⑭ xiū jiàn 修建 build; construct	㉖ yā zhì 压制 suppress
④ zhí zhèng 执政 be in power	⑮ dà dào 大道 main road	㉗ zhèng jiàn 政见 political view
⑤ jiàn lì 建立 set up; establish	⑯ fā dá 发达 developed; flourishing	㉘ zhèng cháng 正常 normal; usual
⑥ wáng cháo 王朝 dynasty	⑰ dòng yòng 动用 employ; use	㉙ zhǎn 展 stretch; exhibition / fā zhǎn 发展 develop; expand
⑦ quán 权（權）power; right	⑱ xiān qián 先前 in the past; previously	
quán lì 权力 power	⑲ bǎo liú 保留 retain; reserve	㉚ háo 豪 rich and powerful　háo huá 豪华 luxurious
⑧ jí zhōng 集中 concentrate; centralize	⑳ lián jiē 连接 join; link	㉛ jiàn zào 建造 build; construct
⑨ qī jiān 期间 time; period	㉑ bào 暴 cruel	㉜ xíng gōng 行宫 imperial palace
⑩ zhì dù 制度 rules; system	㉒ jūn 君 monarch　bào jūn 暴君 tyrant	㉝ chéng qiān shàng wàn 成千上万 tens of thousands
⑪ tuī xíng 推行 carry out; pursue	㉓ kòng 控 control　kòng zhì 控制 control	㉞ mín gōng 民工 labourer
⑫ biāo 标（標）mark; standard		㉟ zhì jīn 至今 up to now

第八课　不良言行与犯罪

　　现代社会物质高度发达。有些青少年由于经受不住物质的引诱，在学校偷同学的钱包、手机，更有人去商店里偷东西。如果这些人得不到及时的教育，他们的行为得不到及时的制止，他们日后很有可能走上犯罪的道路，甚至坐牢，受到应有的惩罚。

　　青少年思想比较天真、幼稚，喜欢冒险，对一些事情容易作出错误的判断。有些青少年由于交错了朋友，受朋友的不良影响，讲粗话、骂人、欺负弱小同学、逃课、抽烟、喝酒，甚至吸毒，严重违反校规。还有一些人没有驾驶执照便开车，这不仅会危害他们自己的性命，而且会对他人造成伤害。

　　当今媒体十分发达，青少年很容易从电视、电影、报刊和网络中接触到暴力、凶杀、色情等不健康的内容，这也会给他们带来不良的影响。

　　青少年处世不深、社会经验不足，有些事情应听从老师、家长或朋友的劝告，不要一时冲动，做一些不该做的事，不然后悔就来不及了。

生词：

1. yán xíng 言行 words and deeds
2. fàn 犯 violate; commit
3. zuì 罪 guilt; offence; crime
   fàn zuì 犯罪 commit a crime or an offence
4. gāo dù 高度 highly; height
5. jīng shòu 经受 undergo
6. yòu 诱（誘）induce; lure　yǐn yòu 引诱 lead astray
7. xíng wéi 行为 behaviour; conduct
8. zhì zhǐ 制止 ban; prevent
9. rì hòu 日后 in the future
10. dào lù 道路 road; way; passage
11. láo 牢 prison; firm　zuò láo 坐牢 be in jail
12. yīng yǒu 应有 deserved; proper
13. chéng 惩（懲）punish
14. fá 罚（罰）punish; fine　chéng fá 惩罚 punish
15. tiān zhēn 天真 innocent; naive
16. yòu 幼 young; children
17. zhì 稚 young; childish　yòu zhì 幼稚 young; immature
18. mào 冒 risk; emit
19. xiǎn 险（險）dangerous; risk　mào xiǎn 冒险 venture
20. wù 误（誤）mistake; error　cuò wù 错误 mistake; wrong
21. pàn 判 judge; sentence　pàn duàn 判断 judge
22. cū 粗 wide; rough; rude　cū huà 粗话 vulgar language
23. mà 骂（罵）abuse; curse
24. ruò 弱 weak; frail
25. táo kè 逃课 play truant
26. chōu 抽 draw
27. yān 烟 smoke; cigarette　chōu yān 抽烟 smoke
28. dú 毒 poison; drugs　xī dú 吸毒 drug taking
29. wéi 违（違）disobey; violate　wéi fǎn 违反 violate
30. guī 规（規）rule; regulation　xiào guī 校规 school rules
31. jià 驾（駕）drive
32. shǐ 驶（駛）drive　jià shǐ 驾驶 drive; pilot
33. zhí zhào 执照 licence; permit
    jià shǐ zhí zhào 驾驶执照 driving licence
34. wēi 危 danger; hazard　wēi hài 危害 harm
35. zào chéng 造成 cause
36. shāng hài 伤害 injure; harm
37. dāng jīn 当今 now; at present
38. chù 触（觸）touch; contact
    jiē chù 接触 come into contact with
39. bào lì 暴力 violence; force
40. xiōng 凶 unlucky; fierce
    xiōng shā 凶杀 homicide; murder
41. sè qíng 色情 pornographic
42. chǔ shì 处世 conduct oneself in society
43. jīng yàn 经验 experience
44. quàn 劝（勸）advise; try to persuade　quàn gào 劝告 advise
45. chōng dòng 冲动 impulse
46. huǐ 悔 regret　hòu huǐ 后悔 regret
47. lái bu jí 来不及 it's too late (to do sth.)

59

根据课文回答下列问题：

1. 青少年往往有哪些特点？

2. 有些青少年为什么会走上犯罪道路？

3. 有些青少年会违反哪些校规？

4. 讲粗话算不算犯法？

5. 无照驾驶的后果会是怎样的？

6. 青少年会从哪儿接触到暴力、色情等不健康的内容？

7. 如果学校和家长不及时制止青少年的小偷小摸行为，后果会是怎样的？

8. 在教育青少年问题上，老师和家长能起什么作用？

9. 犯法的人会得到什么惩罚？

1 根据实际情况回答下列问题

不良现象：

－骂人	－偷东西
－喝酒	－讲粗话
－吸毒	－卖毒品
－逃课	－抽烟
－欺负弱小同学	－无照驾车

1. 你们学校有没有这些坏现象？如果有这些现象存在，是否严重？

2. 校规是怎样针对这些现象的？

3. 你的同学／朋友中有没有人做过违反校规的事？如果做过，他们得到了怎样的惩罚？

例子：

我们学校里有人偷东西。他们在别的同学上体育课时去更衣室里偷手机、钱包，或在操场上从同学的书包里把值钱的东西偷走。校方发现后，罚这些学生留校察看，有的则被开除。校方还警告说，如下次再犯，会通知警察局来处理。

2 CD2 T6 填充

1. 案发时间	
2. 案发地点	
3. 丢失的财物	
4. 小偷人数	
5. 小偷的年龄	
6. 小偷的穿着	
7. 小偷手里的凶器	

3 小组讨论

情景： 几个朋友劝你一起逃学一天，去玩游戏机。

去，有什么好处？	去，有什么坏处？
•	•
•	•
•	•
•	•
•	•

不去，有什么好处？	不去，有什么坏处？
•	•
•	•
•	•
•	•
•	•

判断步骤：

1. 先仔细地想一想这个问题。

2. 有没有其他选择？

3. 如果去，结果会怎么样？如果不去，结果会怎么样？

4. 挑选一个最好的选择，作出决定。

小组决定：

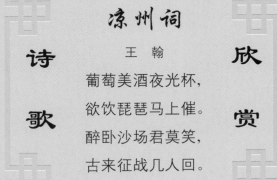

诗歌欣赏

凉州词

王 翰

葡萄美酒夜光杯，
欲饮琵琶马上催。
醉卧沙场君莫笑，
古来征战几人回。

如果你是校长，你会怎样处置这样的学生？

	开除	任其发展	停课	报告班主任	通知家长	放学后留下来
1. 不尊敬老师，甚至当着同学的面顶撞老师。						
2. 在校外喝酒、抽烟。						
3. 在校外吸毒。						
4. 每星期至少迟到一次。学校多次警告都不听。						
5. 经常不做作业，上课也不专心听讲。						
6. 经常跟同学吵架，与同学的关系很紧张。						
7. 偷其他同学的东西，已经被当场抓住两次了。						
8. 学习成绩不好，考试经常不及格。						
9. 特别喜欢看小说，走到哪儿看到哪儿，上课不听讲。						
10. 很害羞，上课从来都不发言。						
11. 妒嫉心特别强，凡事都想压过别人，在学校里没有朋友。						
12. 很自卑，情绪低落，做任何事都非常小心。						
13. 穿奇装异服，头发染成奇怪的颜色来学校上课。						
14. 经常抱怨老师教得不好，好像学校里没有一个好老师。						

5 讨论

1. 交朋友应该注意什么？俗话说"近朱者赤，近墨者黑"，意思是说接近好人会使人变好，接近坏人会使人变坏。你同意这种说法吗？

2. 你交朋友的准则是什么？

3. 你的哪些好习惯或坏习惯是受朋友影响的？

6 CD2 T7 回答下列问题

(一)

1. 四名抢劫犯的动机是什么？

2. 他们是怎么认识的？

3. 以下哪几句话正确？

☐ a) 这四名抢劫犯分别是十岁、十一岁、十二岁和十五岁。

☐ b) 网吧老板没让他们进去是因为他们没有钱。

☐ c) 他们打伤了三个学生。

☐ d) 他们当场被警察抓获。

(二)

1. 吴肖冰第一次是通过谁接触到毒品的？

2. 他买毒品的钱是从哪里来的？

3. 以下哪几句话正确？

☐ a) 他因毒瘾太重，曾两次想过自杀。

☐ b) 他父母曾把他赶出家门。

☐ c) 他在戒毒中心呆了不到一年的时间。

☐ d) 吴肖冰说吸毒只会增加烦恼。

7 根据你自己的情况回答下列问题

1. 如果得知你的好朋友吸毒，你会怎样劝他？

2. 看见小偷在公共汽车上偷乘客的钱包，你怎么办？

3. 看见你的同班同学在厕所里抽烟，你会对他说什么？

4. 在舞会上看见有人卖毒品，你怎么办？

5. 你发现你的朋友在卖翻版 CD，你会怎样劝他？

6. 看见有人在学校的操场上欺负弱小同学，你会怎样制止这种行为？

7. 看见一群同学在打架，你会怎样制止他们？

8. 如果你的同学或朋友逃课、逃学，你会怎样劝告他们？

8 讨论

例子：

判断步骤：
- 提问题
- 收集有关信息并分析
- 作出决定

提问题：

1. 这种药的价钱怎么样？
2. 这种药要吃多久才有效果？
3. 这种药对身体是否有副作用？
4. 广告中的人的体型是否经过电脑处理？
5. 这种药是否会伤害身体？
6. 这种药是否得到有关部门的许可？

分析信息：

这则广告想告诉我们：

1. 这种减肥药很有效。
2. 她瘦了更好看。
3. 减肥并不难。

根据有关信息得知：

1. 长期服用此药会引起疾病，使人的体质受到伤害，还会影响智力和身体的发育。
2. 停止服用后会变得更胖。

决定：

我不会吃这种药来减肥。

该你了！

选其中一个广告题材，然后作出判断。

- 首饰
- 运动器材
- 化妆品
- 饮料
- 快餐
- 服装
- 补品
- 酒

阅读（八）　末代皇帝

　　溥仪是中国历史上的最后一个皇帝，因此也被叫作末代皇帝。1908年，年仅三岁的溥仪在紫禁城内被皇太后慈禧立为皇帝。三年后，辛亥革命爆发，清朝统治结束，溥仪被迫退位，但可以留在紫禁城里继续享受皇帝般的生活。在那段时间里，有一位苏格兰籍的家庭教师在宫庭里教溥仪读书。实际上，溥仪几乎成了紫禁城里的一名"囚犯"。溥仪长大后娶了一位皇后和一位妃子。1924年，18岁的溥仪被赶出紫禁城，到天津投靠了日本人。1931年，日本占领了东三省，让溥仪做了"满洲国"的皇帝。但像在紫禁城里一样，溥仪没有任何权力。第二次世界大战结束后，溥仪被前苏联军队抓获，后来被送进东北的监狱接受改造。他1959年出狱，后来在北京植物园工作。1967年，正当文化大革命开始之际，溥仪病故，走完了他不寻常的一生。

生词：

1. huáng tài hòu 皇太后 empress dowager
2. hài 亥 last of the 12 Earthly Branches
   xīn hài gé mìng 辛亥革命 Revolution of 1911 (led by Dr. Yat-sen, which overthrew the Qing Dynasty)
3. bào 爆 explode
   bào fā 爆发 erupt; break out
4. tǒng zhì 统治 rule; dominate
5. pò 迫 compel; force
   bèi pò 被迫 be forced
6. tuì wèi 退位 abdicate
7. jiā tíng jiào shī 家庭教师 private teacher
8. qiú 囚 imprison; prisoner
   qiú fàn 囚犯 prisoner
9. qǔ 娶 marry (a woman)

10. tóu 投 throw
    tóu kào 投靠 go and seek sb.'s patronage
11. zhàn lǐng 占领 capture; seize; occupy
12. sū 苏（蘇）revive
    sū lián 苏联 Soviet Union
13. zhuā huò 抓获 catch; arrest
14. jiān 监（監）supervise; prison
15. yù 狱（獄）prison jiān yù 监狱 prison
16. jiē shòu 接受 accept
17. gǎi zào 改造 transform; reform
18. zhí 植 plant zhí wù 植物 plant
    zhí wù yuán 植物园 botanical garden
19. zhèng dāng 正当 just; when
20. bìng gù 病故 die of illness

21. xún 寻（尋）look for; seek
    xún cháng 寻常 ordinary; normal

专有名词：

1. pǔ yí 溥仪 the last emperor (1906-1967)
2. cí xǐ 慈禧 Empress Dowager Cixi (1835-1908)
3. sū gé lán 苏格兰 Scotland
4. dōng sān shěng 东三省 Three Northeast Provinces
5. mǎn zhōu guó 满洲国 Manchukuo (1931-1945)
6. dì èr cì shì jiè dà zhàn 第二次世界大战 World War II (1939-1945)

65

第九课　升学与就业

对大部分青年人来说，孩提时代的梦想长大后不一定能实现。我就是一个例子。

我父亲是大学教授，他是搞文学的，我母亲是个油画艺术家。从小父亲就希望我能成为一个作家，而母亲却想让我做一个职业画家。我母亲告诉我，在幼稚园时我起初想当消防员，后来长大一点儿了，又想当警察。上了小学后，我开始对绘画感兴趣，这完全是受母亲的影响。由于母亲从小培养我对艺术的欣赏能力，我的作品常常在市级画展上展出。上初中时，我突然又对数学产生了浓厚的兴趣，经常参加奥林匹克数学竞赛。在一次市级数学竞赛中还得了冠军，因此我曾经决心长大后当一名数学家。

随着环境和年龄的变化，上高中时我突然放弃了当艺术家和数学家的念头，竟然爱上了医学，特别是对人脑的研究。我订了好几种医学杂志，还买了一些关于人脑研究的书，开始研究起人脑来，我觉得这对我来说是一种新的挑战。于是，我考虑在大学里选读医学专业。

前年高中毕业，我同时申请了好几所英国大学医学院。最后我被英国牛津大学医学院录取。到目前为止，我觉得我的选择是对的。

生词：

shēng
① 升　rise; promote

shēng xué
升学　go to a school of a higher grade

jiù yè
② 就业　find employment

hái tí
③ 孩提　early childhood

mèng xiǎng
④ 梦想　dream

shí xiàn
⑤ 实现　realize; achieve

lì zi
⑥ 例子　example; case

shòu　　　　　　jiào shòu
⑦ 授　award; teach　教授　professor

gǎo
⑧ 搞　do; make; set up

wén xué
⑨ 文学　literature

yì
⑩ 艺（藝）skill; art

yì shù　　　　　　yì shù jiā
艺术　art; skill　艺术家　artist

zuò jiā
⑪ 作家　writer

zhí
⑫ 职（職）duty; post

zhí yè
职业　occupation; profession

yòu zhì yuán
⑬ 幼稚园　kindergarten

qǐ chū
⑭ 起初　originally

fáng　　　　　　　　　xiāo fáng yuán
⑮ 防　prevent; defend　消防员　fireman

wán quán
⑯ 完全　complete; whole

péi　　　　　　　　　péi yǎng
⑰ 培　cultivate; foster　培养　foster; train

xīn　　　　　　　xīn shǎng
⑱ 欣　glad; happy　欣赏　enjoy; admire

néng lì
⑲ 能力　ability

zuò pǐn
⑳ 作品　works (of art and literature)

huà zhǎn
㉑ 画展　art exhibition

zhǎn chū
㉒ 展出　display; exhibit

nóng
㉓ 浓（濃）thick; heavy; strong

hòu　　　　　　　　　nóng hòu
㉔ 厚　thick; deep　浓厚　thick; strong; deep

jìng
㉕ 竞（競）compete; contest

jìng sài
竞赛　competition; race

guàn
㉖ 冠　first place; champion

guàn jūn
冠军　champion; first-prize winner

suí　　　　　　　　　suí zhe
㉗ 随（隨）follow　随着　along with; following

qì
㉘ 弃（棄）throw away; abandon

fàng qì
放弃　abandon; give up

niàn tou
㉙ 念头　thought; idea

jìng
㉚ 竟　used to indicate unexpectedness or surprise

jìng rán
竟然　used to indicate unexpectedness or surprise

rén nǎo
㉛ 人脑　human brain

yán　　　　　　　　　yán jiū
㉜ 研　study; research　研究　study; research

guān yú
㉝ 关于　about; with regard to

zhàn
㉞ 战（戰）war; fight

tiǎo zhàn
挑战　challenge to fight

lù　　　　　　　　　　　kǎo lù
㉟ 虑（慮）consider; worry　考虑　consider

shēn　　　　　　　shēn qǐng
㊱ 申　state; explain　申请　apply for

lù qǔ
㊲ 录取　recruit; admit

mù qián
㊳ 目前　present; current

wéi zhǐ
㊴ 为止　till; up to

专有名词：

ào lín pǐ kè
① 奥林匹克　Olympic

niú jīn dà xué
② 牛津大学　Oxford University

67

根据课文回答下列问题：

1. 他父母是做什么工作的？

2. 他小时候曾喜欢过什么职业？

3. 他上中学时对哪个职业产生了兴趣？

4. 他从什么时候开始爱上了医学？

5. 他为研究人脑做了哪些准备？

6. 他目前在哪所大学就读？

1 CD2 T10 回答下列问题

1. 他是什么时候中学毕业的？

2. 他毕业后做了什么？

3. 他会说哪几种语言？

4. 他想找的工作可以用上他的什么专长？

5. 他想做全时工还是半时工？

6. 他明年九月份要去做什么？

7. 这份工作每天要干几个小时？中午休息时间有多长？

8. 他从哪天开始上班？

2 讨论

到国外去留学

好　处	坏　处
• 见识不同民族的文化，增广见闻	• 病了没人照顾
•	•
•	•
•	•
•	•

参考词语：

扩大　结交　培养　能力　考验　自律　赚钱　判断

约束　独立　花费　想家　孤独　决定　自食其力

3 模仿例子编对话

（一）

A: 喂！你好！

B: 我叫丁胜。你们公司是不是要招一个秘书？

A: 是啊！

B: 这是一份短期工吗？到八月底就完了，是吗？

A: 是的。你有兴趣吗？

B: 有兴趣，我想申请。我以前在一间律师事务所做过两个月的秘书，有这方面的经验。我会打字，会用电脑，我的中、英文都很好。

A: 这样吧！你可以先把申请信及简历寄来。下个星期五之前我们会决定是否通知你来面试。

B: 那太好了。谢谢！

（二）

A: 我不想修读中国文学了。

B: 为什么？

A: 我觉得中国文学很难，而且将来毕业后可能很难找到工作。

B: 你喜欢中国文学吗？

A: 我喜欢，但是我没有想到会那么难。我当初要是听我爸爸的劝告就不会选中国文学了。

B: 那么你想转哪个专业？

A: 我想学商科。这种专业比较实用，将来容易找工作。

B: 你的想法是对的，但是你喜欢学商科吗？

A: 我自己也弄不清，读着看吧！

该你了！

1. 假设你申请去麦当劳打工，编一段你跟麦当劳经理的对话。

2. 编一段对话，谈一谈你是怎样选择高中或大学课程的。

4 讨论

如果选择以下这些职业，你觉得应该选读哪些课程？

职业	课程					
1. 会计师	会计	数学	电脑	经济	商科	英语
2. 律师						
3. 兽医						
4. 记者						
5. 建筑师						
6. 酒店经理						
7. 室内设计师						
8. 电影演员						
9. 画家						
10. 儿童文学作家						

课程：

经济　商科　体育　英语　中文　电脑　美术　物理　管理
化学　生物　地理　历史　设计　家政　戏剧　法律　会计
心理学　宗教与哲学

5 讨论，然后做一个口头报告

1. 你认为学生应该有家庭作业吗？学生应该有考试吗？

2. 中学阶段各科应该分流、分班吗？

3. 学校考试应该排名次吗？学生之间有竞争，好吗？

4. 学生应该怎样面对考试？应该怎样看待考试成绩？

5. 中、小学生应该穿校服吗？穿校服有什么好处和坏处？

6. 男、女生应该同校还是分校？在学校住宿有什么优点和缺点？

7. 你觉得高中考试成绩会影响一个人的前途吗？影响到什么程度？

8. 你要进世界一流大学，就得先进一所名牌中学。这种想法对吗？为什么？

6 [CD2 T11] 回答下列问题

（一）

1. 秘书要做哪些工作？（至少列举四种）

2. 他觉得做秘书这种工作怎么样？

3. 以下哪几句话正确？

   ☐ a) 他去了一间贸易公司做律师。

   ☐ b) 他每天工作七个小时。

   ☐ c) 他很喜欢秘书这份工作，以至于决定今后也做秘书。

   ☐ d) 在一周的"校外活动周"里，他学到了很多在课堂上学不到的东西。

（二）

1. 他什么时候去他爸爸的牙医诊所工作了？

2. 经过一星期的工作，他有什么收获？

3. 以下哪几句话正确？

   ☐ a) 他爸爸是个外科医生。

   ☐ b) 他爸爸的工作非常忙，经常要同时照顾三个病人。

   ☐ c) 他自己是个胆小鬼。

   ☐ d) 他也能为病人洗牙、补牙。

7 做一个口头报告

你最有可能从事以下哪三个行业？为什么？分析你自身的条件，包括性格、专业、特长、兴趣等，看看你是否适合这些工作。

行 业：

1. 广告	10. 医疗保健
2. 市场推广	11. 地产
3. 公共关系	12. 制造
4. 金融	13. 教育
5. 出版	14. 法律
6. 消防	15. 会计
7. 餐饮	16. 贸易
8. 媒体（记者、播音员）	17. 旅游
9. 政府机关（公务员）	18. 外交

8 采访你父亲或母亲。你一定要问以下这些问题，然后做一个口头报告

1. 你的第一份工作做什么(包括全时和非全时工作)？你那时多大年纪？
2. 你读过大学吗？在大学里主修什么？
3. 你做第一份工作时，在学校里学的东西用得上吗？还缺什么知识或技能？
4. 你现在做的这份工作是怎样找到的？
5. 你现在的这份工作做了几年了？你干得怎么样？有什么需要改进的？
6. 你喜欢目前的这份工作吗？喜欢哪些方面？不喜欢哪些方面？
7. 你当初选择目前的这份工作时都考虑了哪些因素？
8. 在工作中，你遇到过哪些挑战？你是怎样应付这些挑战的？
9. 你觉得学校的正规教育对你的工作有哪些帮助？

该你了！

采访一个人，比如你的校长，你会问什么问题？请写出至少十个问题。

9 根据你自己的情况回答下列问题

1. 你理想的职业是什么？你会不会继承你父亲或母亲的职业？
2. 你父母从小对你在哪些方面进行过培养？
3. 你参加过哪些竞赛或比赛？得过什么样的名次(冠军/亚军/季军)？
4. 你小时候有什么理想？
5. 你喜欢挑战你自己吗？在哪些方面？
6. 在你的成长过程中，随着年龄和环境的变化，你对职业的选择发生过哪些变化？
7. 你申请大学时，主要会考虑哪些因素？

诗歌欣赏

登鹳雀楼

王之涣

白日依山尽，
黄河入海流。
欲穷千里目，
更上一层楼。

阅读（九） 孙中山

CD2 T12

　　孙中山是中国近代史上的一位伟人。他于1866年11月12日出生在广东省中山市香山县的一个贫穷的农民家庭。13岁时，他去美国夏威夷接受教育，后来又在香港读书。孙中山幼年时正值太平天国时期。等他大一点后，他觉得当时的清朝政府腐败、无能，所以决定为改造国家出一份力。1892年，27岁的孙中山以优异的成绩从香港的一所西医学院毕业，之后便在澳门、广州一带以行医为名，和一些爱国青年从事革命活动。经过多年的努力，1911年10月10日，孙中山领导的革命党人发动了武昌起义，并得到了全国的支持，很快便成立了中华民国，他自己亦当选为临时大总统。那年刚好是辛亥年，因此这次革命在中国历史上又叫"辛亥革命"。辛亥革命推翻了中国的最后一个封建王朝——清朝，为中国历史翻开了新的一页。直至1925年他病逝，孙中山都在为改造中国而奋斗。

生词：

jìn dài shǐ
1. 近代史 modern history (mid-1800's to 1919)

xiàn
2. 县（縣）county

pín
3. 贫（貧）poor

qióng　　　pín qióng
4. 穷（窮）poor 贫穷 poor

zhí
5. 值 happen to ; value

dāng shí
6. 当时 then; at that time

bài
7. 败（敗）lose; fail

fǔ bài
腐败 corrupt

gǎi zào
8. 改造 transform; reform

yōu yì
9. 优异 excellent; superb

xíng yī
10. 行医 practise medicine

jīng guò
11. 经过 pass; after

cóng shì
12. 从事 be engaged in

lǐng dǎo
13. 领导 lead; leader

dǎng
14. 党（黨）political party

dǎng rén
党人 member of a political party

fā dòng
15. 发动 start

qǐ yì
16. 起义 uprising

chéng lì
17. 成立 establish

yì
18. 亦 as well as ; also

dāng xuǎn
19. 当选 be elected

lín
20. 临（臨）be close to; about

lín shí
临时 temporary

zǒng tǒng
21. 总统 president

tuī fān
22. 推翻 overthrow

fēng jiàn
23. 封建 feudal; feudalism

zhí zhì
24. 直至 until

shì
25. 逝 die; pass

bìng shì
病逝 die of illness

fèn dòu
26. 奋斗 fight; struggle

专有名词：

guǎng dōng shěng
1. 广东省 Guangdong Province

xiāng shān xiàn
2. 香山县 Xiangshan County

xià wēi yí
3. 夏威夷 Hawaii

tài píng tiān guó
4. 太平天国 Taiping Heavenly Kingdom (1851-1866)

guǎng zhōu
5. 广州 Guangzhou

wǔ chāng qǐ yì
6. 武昌起义 Wuchang Uprising (October 10, 1911)

zhōng huá mín guó
7. 中华民国 Republic of China (1912-1949)

第四单元　未来世界

第十课　环境污染

CD2 T13

随着工业的不断发展，人类一方面创造着文明，另一方面也以惊人的速度破坏着大自然的生态平衡。环境污染已经成为各国政府及社会倍受关注的问题。

我们面临的环境污染可以分为大气污染、水污染、垃圾污染、噪音污染等等。大气污染主要是由工厂、机动车辆排出的废烟、废气而造成的。这些废气严重破坏了"地球的保护伞"——臭氧层，以至产生"温室效应"，使地球气温不断上升。

水污染主要是由生活废水、工厂排出的废水、农田里使用的化肥及农药而造成的。

现在物质生活条件好了，人就变得越来越浪费了，再加上回收习惯和技术还不普及，每天从工业、商业和日常生活中丢弃的垃圾数量惊人，因而造成了垃圾污染。

工厂、建筑工地和交通工具产生的噪音也使我们的生活环境失去了以往的宁静。人类乱砍滥伐森林树木，造成水土流失，使得很多动、植物濒临绝种，自然灾害频频发生。

由此可见，保护地球是我们每个人的责任。我们应该赶快行动起来，采取有效的措施来保护人类共同的家园。

生词：

1. 污 wū dirt; dirty
2. 染 rǎn dye; catch　污染 wū rǎn pollution; pollute
3. 工业 gōng yè industry
4. 一方面……另一方面…… yì fāng miàn … lìng yì fāng miàn … on the one hand..., on the other hand...
5. 创造 chuàng zào create
6. 惊人 jīng rén amazing; surprising
7. 速 sù fast; speed　速度 sù dù speed
8. 破 pò broken; destroy　破坏 pò huài destroy
9. 大自然 dà zì rán Mother Nature
10. 生态 shēng tài ecology
11. 平衡 píng héng balance
12. 倍 bèi doubles; times
13. 关注 guān zhù pay close attention to
14. 面临 miàn lín face; confront
15. 噪 zào make an uproar　噪音 zào yīn noise
16. 机动 jī dòng motor-driven
17. 车辆 chē liàng vehicle　机动车辆 jī dòng chē liàng motor vehicle
18. 废（廢）fèi abolish; waste　废水 fèi shuǐ waste water
19. 保护 bǎo hù protect
20. 伞（傘）sǎn umbrella　保护伞 bǎo hù sǎn shield
21. 臭 chòu smelly; foul
22. 氧 yǎng oxygen　臭氧 chòu yǎng ozone　臭氧层 chòu yǎng céng ozone layer
23. 以至 yǐ zhì so... that...
24. 温室效应 wēn shì xiào yìng green house effect
25. 肥 féi fat; fertilizer　化肥 huà féi chemical fertilizer
26. 农药 nóng yào pesticide
27. 条件 tiáo jiàn condition; state
28. 浪 làng wave; unrestrained　浪费 làng fèi waste
29. 回收 huí shōu recycle
30. 技术 jì shù technology
31. 商业 shāng yè commerce; trade
32. 丢弃 diū qì abandon; discard
33. 数量 shù liàng quantity; amount
34. 建筑工地 jiàn zhù gōng dì construction site
35. 工具 gōng jù tool; means　交通工具 jiāo tōng gōng jù means of transport
36. 失去 shī qù lose
37. 以往 yǐ wǎng in the past
38. 宁（寧）níng peaceful　宁静 níng jìng peaceful
39. 乱（亂）luàn in a mess
40. 砍 kǎn chop
41. 滥（濫）làn excessive
42. 伐 fá cut down　乱砍滥伐 luàn kǎn làn fá cutting trees at random
43. 水土流失 shuǐ tǔ liú shī soil erosion
44. 濒（瀕）bīn on the brink of　濒临 bīn lín on the verge of
45. 绝（絕）jué exhausted　绝种 jué zhǒng become extinct
46. 灾（災）zāi disaster　灾害 zāi hài disaster
47. 频频 pín pín repeatedly
48. 由此可见 yóu cǐ kě jiàn it is thus clear that
49. 责（責）zé duty; blame　责任 zé rèn duty; responsibility
50. 采（採）cǎi adopt; pick　采取 cǎi qǔ adopt; take
51. 有效 yǒu xiào effective
52. 措 cuò arrange; make plans　措施 cuò shī measure
53. 共同 gòng tóng common
54. 家园 jiā yuán home

根据课文回答下列问题：

1. 人类在创造文明的同时给地球带来了什么负面的影响？

2. 大气污染是怎样造成的？它对气温有什么影响？

3. 水污染仅仅是由工厂里排出的废水造成的吗？

4. 垃圾污染指的是什么？

5. 水土流失是怎样造成的？

6. 如今自然灾害比以前更频繁了还是减少了？为什么？

1 讨论

路上的车比以前多了，交通堵塞的现象经常出现，环境污染的情况也更加严重了。我们应该采取什么措施才能减少路上的车辆？

请想想办法

- 公司应该安排一部分人在家工作，以减少路上的车辆。

-
-
-

参考词语：

走路　　上班　　下班　　商店　　加税　　汽油　　公路　　价格　　减少

产量　　买新车　　停车费　　合用车　　骑自行车　　网上购物

送货上门　　驾驶执照　　搭乘公共交通

2 CD2 T14 判断正误

☐ 1) 学校的小卖部还在用塑料饭盒。

☐ 2) 纸饭盒比塑料饭盒贵。

☐ 3) 小卖部卖饭时免费送塑料筷子及刀叉。

☐ 4) 一次性刀叉和筷子比较卫生、方便，但成本高。

☐ 5) 小卖部只回收瓶子和铝罐。

☐ 6) 大多数学生有环保意识。

3 根据常识判断正误

人人都知道树是宝。那么，它究竟能为人类做什么呢？

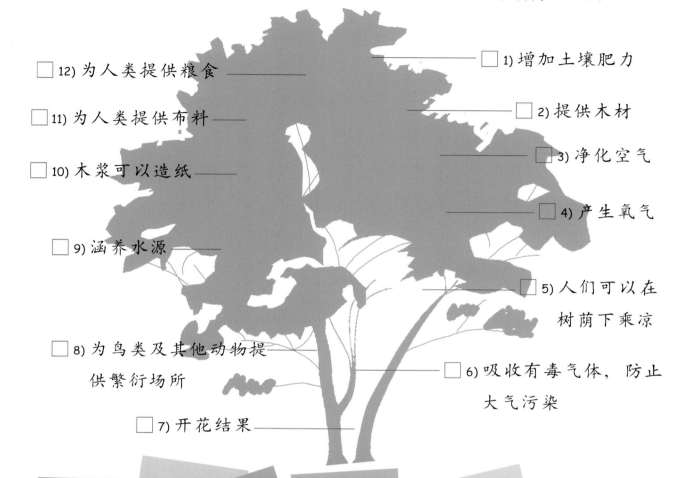

□ 12) 为人类提供粮食 ————

□ 11) 为人类提供布料 ——

□ 10) 木浆可以造纸 ——

□ 9) 涵养水源 ——

□ 8) 为鸟类及其他动物提供繁衍场所

□ 7) 开花结果 ——

□ 1) 增加土壤肥力

□ 2) 提供木材

□ 3) 净化空气

□ 4) 产生氧气

□ 5) 人们可以在树荫下乘凉

□ 6) 吸收有毒气体，防止大气污染

由此可见，树的生态价值极高。我们要好好保护树木。

4 根据实际情况回答下列问题

1. 你们国家经常有哪些自然灾害发生？（火灾、洪水、龙卷风、地震、虫灾、台风、火山、旱灾）

2. 假设有以上任何一种灾害发生，你居住的地区会采取哪些措施？

3. 你从小到大经历过哪些自然灾害？给你留下印象最深的是哪一次？

4. 你居住的国家或地区在环保方面做得怎么样？采取了哪些措施？

5. 你有没有参加过环保活动，例如植树、清洁海滩等？

6. 你知道"厄尔尼诺"现象吗？你居住的地区有没有受到它的影响？受到什么样的影响？（夏天下冰雹、高温天气、沙尘暴）

5 做一个口头报告

环保：从我做起

你在环保、回收方面做得怎么样？还应该在哪些方面努力？

1. 你是不是把用过的玻璃瓶同垃圾一起扔掉？
2. 你通常把玻璃瓶扔进回收箱吗？
3. 你是否会把用过的玻璃瓶洗干净后再用？

1. 你常买铝罐饮料喝吗？
2. 你把用过的铝罐扔进回收箱吗？
3. 你是否把铝罐同垃圾一起扔掉？

1. 你是否把纸张两面用过后再扔掉？
2. 你是否会把别人用过的还有一面空白的纸拿来用？
3. 你是否把旧报纸、杂志、书籍同垃圾一起扔掉？
4. 你是否会一页纸还没有写满就换另一张白纸写字？

1. 为了减少用塑料袋，你出去购物时是否会自备袋子？
2. 塑料袋用完后你是否会同垃圾一起扔掉？
3. 你是否会用塑料袋装垃圾扔掉？

1. 你洗手时水龙头会开得很大吗？
2. 洗澡时你会洗很长时间吗？
3. 你刷牙时是否让水龙头一直开着？
4. 洗碗时，你是否一边洗碗一边用水冲？

1. 你是否有随手关灯的习惯？
2. 如果你最后一个离开房间，你是否会先关电扇、空调和灯，然后再离去？
3. 你一回到家，是否会把所有房间的灯都打开？
4. 你是否会尽量少用空调或暖气？

6 说一说

在你的周围有哪些环境污染的现象？

● 有些人在墙上涂鸦

●

●

●

●

●

●

诗歌欣赏

清 明

杜 牧

清明时节雨纷纷，
路上行人欲断魂。
借问酒家何处有，
牧童遥指杏花村。

参考词语：

| 涂鸦 | 墙上 | 轮胎 | 排出 | 废气 | 废烟 | 堆 |

| 乱扔 | 噪音 | 放射 | 材料 | 措施 | 污水 |

空罐头　市中心　空瓶子　机动车辆

---

7 调查

你是否已经采取了这些环保措施？

☐ 1) 用餐布而不用餐巾纸。

☐ 2) 用密封盒而不用保鲜膜。

☐ 3) 发电子卡而不寄贺卡。

☐ 4) 洗碗时不用太多的洗洁剂。

☐ 5) 多洗淋浴，少洗盆浴。

☐ 6) 煮饭时多用炒、煮和蒸的方法，尽量少用烤箱。

☐ 7) 外出时，少买包装饮料，自备水壶。

☐ 8) 汽车用不含铅汽油。

☐ 9) 尽量用再生纸。

☐ 10) 尽量少用"一次性"用品。

☐ 11) 外出时多搭乘公共交通，少驾车。

☐ 12) 购物时自备袋子，不用塑料袋。

（一）

1. 人们为什么要用"一次性筷子"？

2. 中国出产的筷子还销售到哪儿？

3. 以下哪几句话正确？

☐a) 中国人用筷子的习惯由来已久。

☐b) 中国人喜欢用竹筷、木筷、银筷和象牙筷。

☐c) 土地的沙化与中国人用筷子的习惯有关。

☐d) 水土流失不会令沙尘暴频繁发生。

（二）

1. 地球上有哪些严重的污染？

2. 塑料给人类带来什么好处与坏处？

3. 以下哪几句话正确？

☐a) "白色污染"也就是塑料造成的污染。

☐b) 塑料需要20年以上才能解体。

☐c) 扔进海里的塑料不仅污染海水，鱼吃下去还会致命。

☐d) 为了减少"白色污染"，其中一个办法就是多用塑料制品。

9 讨论

怎样保护濒临绝种的动物？我们应该采取什么措施？

- 不吃与之有关的食品，例如鱼翅、熊掌等
-
-
-
-
-

参考词语：

偷猎	部门	报警
食品	有关	动物
部位	器官	物品
象牙	鱼翅	皮毛
衣服	身体	熊掌
熊胆	药品	
买	用	穿 吃

阅读（十）　女娲补天

CD2 T16

　　传说古代的时候，有一年天地间发生了一场大战，是水神和火神之间的战争。在这场战争中水神大败，他一生气就撞断了一根用来顶天的柱子。顿时，天上出现了一个大洞。由于这个洞的出现，每年一到春、秋季节就会暴雨成灾，给人们带来很多苦难。于是，心地善良的女娲决心要把天上的洞补起来。她四处寻找补天的五色石，然后用火炉把五色石炼成五色石汁。女娲补了多少年，谁也不知道。女娲补天，老天爷当然不高兴，但是他答应女娲在补天的时候不下雨。女娲在补西北角时，五色石汁用尽了，只好用一些冰块儿来代替。于是从那以后，从西北方向吹来的风往往带来狂风暴雨，有时还夹杂着冰雹。

生词：

1 zhàn zhēng 战争 war

2 zhuàng 撞 crash

3 dùn 顿（頓）pause; suddenly
dùn shí 顿时 instantly

4 dòng 洞 hole; cave

5 bào yǔ 暴雨 rainstorm

6 chéng zāi 成灾 cause disaster

7 kǔ nàn 苦难 suffering; misery

8 xún zhǎo 寻找 seek; pursue

9 lú 炉（爐）stove　huǒ lú 火炉 stove

10 liàn 炼（煉）refine; improve

11 bīng kuàir 冰块儿 ice cube

12 dài tì 代替 replace

13 kuáng 狂 mad; violent
kuáng fēng 狂风 fierce wind
kuáng fēng bào yǔ 狂风暴雨 violent storm

14 jiā 夹（夾）mix; clip
jiā zá 夹杂 be mixed up with

15 báo 雹 hail
bīng báo 冰雹 hail

专有名词：

1 nǚ wā 女娲 Chinese goddess who, according to legend, created human beings and patched up the sky

2 lǎo tiān yé 老天爷 God; Heaven; Good Heavens

第十一课　新科技

CD2 T17

人类社会已经进入二十一世纪，科技发展日新月异。相信在不久的将来，人类在信息技术、生命科技、能源开发、环境保护、生态平衡、宇宙探索等领域将会有更新的突破。

● **信息技术**：信息产业将是二十一世纪规模最大、也最具有活力的产业。电脑将会朝着智能化、超薄型、小体积、大容量的方向进一步发展。

● **生命科技**：人类基因序列图已经完成，这会给医疗保健和农业领域带来一次革命。一些现代疑难疾病，比如癌症、爱滋病、白血病等也有望得到医治。

● **能源开发**：科学家预计高效和清洁的核能在技术上将取得新的突破。太阳能、风能、水能、地热能等自然能量将得到进一步的充分利用。

● **生态平衡**：人类将更加普遍地、科学地控制人口的增长，更加重视人类的生存环境和生活素质，重视保护自然资源和生存空间。

● **宇宙探索**：人类将利用新的科技成果进一步探索地球和宇宙的奥秘，寻找和开发新的生存空间。

生词：

1. jìn rù 进入 enter
2. rì xīn yuè yì 日新月异 change with each passing day
3. bù jiǔ 不久 before long
4. jiāng lái 将来 future
5. shēng mìng 生命 life
6. néng yuán 能源 energy resource
7. kāi fā 开发 develop; open up
8. tàn 探 explore
9. suǒ 索 search; demand 探索 tàn suǒ explore
10. lǐng yù 领域 territory; domain
11. tū pò 突破 break through
12. chǎn yè 产业 estate; industrial
13. guī mó 规模 scale; scope
14. jù yǒu 具有 possess; have
15. huó lì 活力 vigour; vitality
16. zhì néng 智能 intellect and ability
17. báo 薄 thin; weak 超薄 chāo báo ultra-thin
18. xíng 型 model; type
19. tǐ jī 体积 volume; size
20. róng liàng 容量 capacity
21. jī yīn 基因 gene
22. xù 序 order; sequence
23. liè 列 arrange; measure word
24. xù liè 序列 order; sequence
25. liáo 疗（療）treat; cure 医疗 yī liáo medical treatment
26. bǎo jiàn 保健 health care

27. nóng yè 农业 agriculture
28. yí 疑 doubt 疑难 yí nán difficulty
29. jí 疾 disease 疾病 jí bìng disease
30. ái 癌 cancer
31. zhèng 症 disease 癌症 ái zhèng cancer
32. zī 滋 grow 爱滋病 ài zī bìng Aids
33. xuè 血 blood 白血病 bái xuè bìng leukaemia
34. yǒu wàng 有望 hopeful
35. yī zhì 医治 cure
36. yù jì 预计 anticipate; estimate
37. gāo xiào 高效 highly effective
38. jié 洁（潔）clean 清洁 qīng jié clean
39. hé 核 nucleus 核能 hé néng nuclear energy
40. qǔ dé 取得 get; achieve
41. tài yáng néng 太阳能 solar energy
42. dì rè 地热 geotherm
43. néng liàng 能量 energy
44. chōng 充 sufficient 充分 chōng fèn sufficient
45. gèng jiā 更加 even more
46. pǔ biàn 普遍 widespread; common
47. zēng zhǎng 增长 increase
48. zhòng shì 重视 lay stress on
49. sù zhì 素质 quality
50. kōng jiān 空间 space
51. chéng guǒ 成果 achievement
52. ào 奥 profound 奥秘 ào mì profound mystery

根据课文判断正误：

□ 1) 人类在二十一世纪将把主要精力放在新能源的探索和开发上。

□ 2) 将来的计算机将变得更小、更薄，但容量会更大。

□ 3) 癌症可望在二十一世纪得到有效的医治。

□ 4) 自然能量包括太阳能、风能、水能等。

□ 5) 人类在二十一世纪将着重经济发展，而不重视对自然资源的保护。

□ 6) 探索宇宙的目的之一是为人类寻找新的生存空间。

1 讨论

想一想，自然能量可以为人类做哪些事？

1) 太阳能	2) 风能	3) 水能	4) 地热
● 太阳能汽车	●	●	●
●	●	●	●
●	●	●	●
●	●	●	●
●	●	●	●
●	●	●	●
●	●	●	●

2 CD2 T18 判断正误

□ 1) 由于有了新药，全世界死于癌症的病人越来越少了。

□ 2) 癌症在某种程度上是可以预防的。

□ 3) 癌症跟饮食习惯、生活方式和生活环境有关。

□ 4) 吃高纤维、高蛋白质和高脂肪食品可以有效地控制癌症。

□ 5) 蔬菜和水果中的维生素 A、B 和 C 可以预防癌。

□ 6) 红茶比绿茶更能有效地预防肠癌、胃癌和肝癌。

□ 7) 牛奶里的某些成分有预防癌症的作用。

□ 8) 豆浆、豆腐干、豆腐皮等豆制品可以预防癌。

3 讨论

1997年，英国一家研究所成功培育出世界上第一只克隆动物 —— 绵羊"多利"，使人类对生命技术产生了新的希望和幻想，人类希望利用克隆技术为人类造福。

该你了！

上网查询有关克隆技术的资料，并列出目前还不完善的克隆技术有可能会对人类造成的危害。

克隆技术造福人类：
- 抢救珍稀的濒临绝种动物
- 复制优良家畜
- 攻克遗传疾病
- 研制新药
- 培育内脏器官供人移植

4 调查

在今后的一百年间可能发生的事

	同意	不同意
1. 得了不治之症，先冷冻起来，待医学界找到医治方法后再生还。	13个学生	5个学生
2. 所有购物都在网上进行，机器人送货。		
3. 因为地球上人太多，今后水会像油那样贵。		
4. 世界真的成了"地球村"，没有国界。		
5. 汉语可能成为世界语。		
6. 人不用一日吃三餐，只吃几片药就可以了。		
7. 每人都穿一双"火箭鞋"，可以一步行千里。		
8. 人类征服所有疾病，想活多少岁就活多少岁。		
9. 无人驾驶汽车会送你去任何地方。		
10. 人类将搬到外星去住。		

5 CD2 T19 回答下列问题

（一）

1. 可视电话可以安装在哪儿？

2. 可视电话为什么还没普及？

3. 以下哪几句话正确？

☐ a) 可视电话可以让通话的人通过电视屏幕看到对方的表情。

☐ b) 可视电话的安装比较复杂。

☐ c) 打可视电话的人不但可以听到对方的声音，而且还能通过电话上的屏幕看到对方的脸。

☐ d) 有了可视电话，商人出差的次数今后可能会减少。

（二）

1. 数码相机跟传统相机有什么区别？（列举两个）

2. 人们一般怎样把数码相机里的照片印出来？

3. 以下哪几句话正确？

☐ a) 数码相机用电脑集成块把图像摄下来。

☐ b) 数码相机会在不久的将来问世。

☐ c) 从数码相机的屏幕上可以看到刚拍好的照片。

☐ d) 数码相机需要用一种特殊的胶卷。

6 讨论

根据一些科学家和未来学家的预测，在未来的一千年里，地球上的人类会发生巨大的变化。假设你是未来学家，试就以下几个方面进行预测。

- 人类的寿命　　- 太空
- 医学发展　　　- 人类的相貌
- 公共交通　　　- 人口
- 电器产品　　　- 女性
- 人类的居所　　- 电话

诗歌欣赏

早发白帝城

李白

朝辞白帝彩云间，
千里江陵一日还。
两岸猿声啼不住，
轻舟已过万重山。

7 选两种产品做一个口头报告

由于高科技的运用，以下这些产品将在外型、体积、效率、功能等方面有什么改进？

- 烤箱
- 冰箱
- 洗衣机
- 衣柜
- 咖啡机
- 门、窗
- 微波炉
- 电视机
- 床

例子：

智能烤箱的外型将更艺术化，而且外型每年都翻新花样，以增加新鲜感。体积会更小，不占地方。效率会更高，而且节电。智能烤箱的功能很多，可以做各种糕饼及菜肴。烤箱通过自身的软件帮助主妇确定温度。

家用冰箱的外型将像一个大衣柜，体积比现在的大得多，家里所有吃的东西都可以放进去。冰箱虽然大，但节电而且冷冻快。冰箱的功能多样化，各个区域根据食品自动调节温度。冰箱会主动提醒主妇该购买哪些食物，同时还会通过互联网从超市直接订购。

8 讨论

在近十年内，你希望哪些事可以变成现实？

1. 看病可以不去医院，医生会上门服务。
2. 结婚仪式可以在家里举行，不用去教堂。
3. 打一个电话去图书馆，_____
4. 自动售货机里有_____
5. 溜狗有专职人员，_____
6. 上课不用去学校，_____
7. 可视电话_____
8. 机器人_____
9. _____
10. _____

世界末日

快到了吗?

在世纪之交,很多关于"世界末日"的理论出台,再加上人类经历和面临的各种天灾人祸,更使一些悲观的人士相信世界末日真的离我们不远了。

有些什么说法?

1. "核武器"将毁灭整个人类。_____

2. 互联网_____

3. 地球跟其他星球_____

4. 人类对环境的破坏_____

5. 新的病症_____

6. 机器人_____

7. 外星人_____

8. 克隆技术_____

9. 南、北极冰盖_____

10. 臭氧层_____

11. 人口爆炸_____

12. 世界大战_____

参考词语:

毁灭	混乱	相撞	存在	不断	医治	无法	发生
污染	生存	频繁	发生	出现	感情	思想	控制
战胜	抢占	爆炸	办法	病因	击败	人类	依赖
疑难病症	自然灾害						

阅读(十一) 盘古开天地

CD2 T20

传说在很久很久以前，宇宙就像一个大鸡蛋。有个叫盘古的巨人就孕育在这个大鸡蛋里。大约经过了18,000年，盘古醒了。他睁开双眼，发现周围黑黑的一片。他非常恼怒，于是挥动双臂，用力向黑暗砍去。只听一声巨响，大鸡蛋破裂了，其中轻而清的东西慢慢上升，散发开来成了蓝蓝的天空，重的东西慢慢下降变成了厚厚的大地。盘

古担心天地会再合起来，于是就用手顶住天，脚踏住地。每天，天升高一丈，地加厚一丈，盘古的身子也长高一丈。又经过了18,000年，天越来越高，地也越来越厚，盘古的身子也有90,000里长了。盘古临死前，他的周身发生了很大的变化。他的左眼变成了太阳，右眼变成了月亮；头发和胡须变成了天空中的星辰；牙齿和骨头变成了玉石和地下的宝藏；汗水变成了雨露；他身体里的血液变成了江河湖海。

生词：

1. jù rén 巨人 giant
2. yùn 孕 pregnant　yùn yù 孕育 be pregnant with; breed
3. xǐng 醒 wake up
4. nù 怒 anger; fury　nǎo nù 恼怒 angry; furious
5. huī dòng 挥动 wave; shake
6. bì 臂 arm
7. àn 暗 dark; secret　hēi àn 黑暗 darkness; dark; evil
8. liè 裂 split; crack　pò liè 破裂 burst; split
9. sàn fā 散发 emit
10. jiàng 降 go down; fall; drop　xià jiàng 下降 descend; fall
11. dān 担(擔) take on; shoulder　dān xīn 担心 worry; fear
12. dǐng 顶(頂) top; push up　dǐng zhù 顶住 withstand
13. tà 踏 step on

14. lín sǐ 临死 on one's deathbed
15. zhōu shēn 周身 whole body
16. hú xū 胡须 beard and moustache
17. chén 辰 celestial bodies　xīng chén 星辰 stars
18. chǐ 齿(齒) tooth　yá chǐ 牙齿 tooth
19. gǔ tou 骨头 bone
20. yù shí 玉石 jade
21. bǎo zàng 宝藏 treasure
22. hàn shuǐ 汗水 sweat
23. yǔ lù 雨露 rain and dew
24. yè 液 liquid; fluid　xuè yè 血液 blood

专有名词：

1. pán gǔ 盘古 creator of the universe in Chinese mythology

89

第十二课 健康之道

CD2 T21

只要你去一趟医院，看见求医问诊的病人，你一定会体会到身体健康是多么重要。有了健康的身体，才能真正地享受美好的生活。

作为一个现代人，我们并不缺乏物质生活条件，但更应注意身心的健康。虽然医生能医治我们的疾病，但自我保健能使我们减少、甚至避免疾病的痛苦。我们可以从以下几个方面照顾自己。

第一，要保持饮食均衡，否则就有可能导致现代病的发生，例如肥胖症、高血压、心脏病、糖尿病等。

第二，起居要有规律，睡眠要充足。当今社会竞争激烈，如果长时间学习、工作，不注意休息，身体就容易疲劳，有可能导致失眠、头晕、注意力不集中等症状。

第三，要经常锻炼身体。俗话说："生命在于运动"，运动能使人精神愉快，改善不良情绪。

第四，要保持开朗、乐观的精神状态，热爱自己的学习和工作，广交朋友，多做善事，培养广泛的兴趣和爱好。

第五，要定期检查身体，做到有病早治，无病预防。

总之，适当的自我保健和积极、乐观的人生态度能使我们健康、愉快地度过一生。

生词：

1. **趟** tàng measure word
2. **求医** qiú yī seek for medical treatment
3. **诊（診）** zhěn examine (a patient)
   问诊 wèn zhěn inquire; inquiry
4. **体会** tǐ huì know or learn from experience
5. **多么** duō me how; what
6. **真正** zhēn zhèng real; truly
7. **作为** zuò wéi as; regard as
8. **乏** fá lack; tired **缺乏** quē fá be short of
9. **减少** jiǎn shǎo reduce; decrease
10. **避** bì avoid; prevent
11. **免** miǎn exempt; avoid **避免** bì miǎn avoid
12. **均** jūn equal; all
    均衡 jūn héng balanced; even
13. **否则** fǒu zé otherwise
14. **致** zhì achieve; bring about
    导致 dǎo zhì lead to; result in
15. **肥胖症** féi pàng zhèng obesity
16. **高血压** gāo xuè yā hypertension
17. **脏（臟）** zàng internal organs of the body
    心脏 xīn zàng heart **心脏病** xīn zàng bìng heart disease
18. **尿** niào urine **糖尿病** táng niào bìng diabetes
19. **起居** qǐ jū daily life
20. **规律** guī lǜ law; regular pattern
21. **眠** mián sleep **睡眠** shuì mián sleep
    失眠 shī mián insomnia

22. **充足** chōng zú sufficient
23. **竞争** jìng zhēng competition; compete
24. **激** jī arouse; fierce
25. **烈** liè strong; fierce **激烈** jī liè intense; fierce
26. **疲** pí tired **疲劳** pí láo tired
27. **晕（暈）** yūn dizzy; faint **头晕** tóu yūn dizzy
28. **注意力** zhù yì lì attention
29. **状（狀）** zhuàng shape; condition
    症状 zhèng zhuàng symptom
    状态 zhuàng tài state; condition
30. **锻（鍛）** duàn forge **锻炼** duàn liàn do exercise
31. **俗话** sú huà common saying; proverb
32. **在于** zài yú lie in; depend on
33. **精神** jīng shén spirit
34. **改善** gǎi shàn improve
35. **朗** lǎng light; bright
    开朗 kāi lǎng open and clear; cheerful
36. **乐观** lè guān optimistic
37. **热爱** rè ài deep affection
38. **善事** shàn shì good deed; charitable work
39. **定期** dìng qī regular; periodical
40. **检（檢）** jiǎn check up; examine
    检查 jiǎn chá check up; inspect; examine
41. **预防** yù fáng prevent
42. **总之** zǒng zhī generally speaking; in brief
43. **适当** shì dàng suitable; proper

根据课文回答下列问题：

1. 现代病有哪些？

2. 自我保健做得好的人可以一辈子不生病，这种说法对吗？

3. 为什么人们需要充足的睡眠？

4. 体育锻炼对人的身心健康有什么好处？

5. 定期检查身体有什么好处？

6. 为什么要广交朋友、多做善事？

7. "生命在于运动"，这句话是什么意思？

8. 怎样才能使人们健康、愉快地度过一生？

1 编对话

条件：

- 你们四个人去吃饭
- 决定去哪一家饭店
- 点什么菜
- 评论吃哪些菜有利于健康

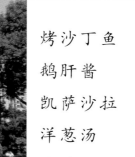

法国饭店

烤沙丁鱼	烤比目鱼
鹅肝酱	烤羊排
凯萨沙拉	小春鸡
洋葱汤	煎饼
蔬菜汤	冰淇淋

新上海酒家

白切肉	炒三丝
卤牛肉	小笼包子
雪菜毛豆	小馄饨
五香豆腐干	酒酿圆子
松子黄鱼	生煎包

泰国饭店

泰式凉拌牛肉	酸辣海鲜汤
香料水果沙拉	泰式炒河粉
辣炒椰汁鸡肉	凤梨炒饭
咖喱炒明虾	蟹肉炒饭

2 说一说

人们需要的各种营养及其作用

1. 五谷类：　　　　含碳水化合物，提供身体热量。

2. 瓜果、蔬菜：　　含纤维、维生素、矿物质等，保持细胞健康和增强身体抵抗力。

3. 奶类、肉类：　　含蛋白质、钙质等，促进细胞生长，保持牙齿、骨骼健康。

4. 油、糖、盐：　　油、糖为身体提供热量，盐维持体内水分平衡。

5. 水：　　　　　　帮助体内有毒废物顺利排出，并输送营养到身体各个部位。

设计出有营养的一日三餐

早餐：＿＿＿＿＿＿＿＿＿＿＿＿＿＿＿＿＿

午餐：＿＿＿＿＿＿＿＿＿＿＿＿＿＿＿＿＿

晚餐：＿＿＿＿＿＿＿＿＿＿＿＿＿＿＿＿＿

3 CD2 T22 判断正误

☐ 1) 电视台邀请高医生解答有关失眠的问题。

☐ 2) 高医生在百合医院工作。

☐ 3) 听众可以通过发电邮或打电话给"听众问答节目"。

☐ 4) 有些听众抱怨他们晚上睡不着。

☐ 5) 睡前做激烈的运动是导致失眠的原因之一。

☐ 6) 有些人白天睡得太多，晚上就睡不着了。

☐ 7) 有些起居没有规律的人晚上也会失眠。

☐ 8) 晚上睡觉前痛哭一场的话，可能会失眠。

☐ 9) 失眠人士最好的办法就是吃安眠药。

☐ 10) 睡前喝一杯牛奶可以帮助入睡。

4 做一个口头报告

1. 你吃早餐吗？吃什么？
2. 如果不吃，原因是什么？不吃早餐的话，你的身体会有哪些反应？对身体有哪些伤害？
3. 早餐应该保证哪些营养？
4. 你觉得一日三餐中哪一餐最重要？为什么？
5. 说出一日三餐合理的营养搭配。
6. 你是否想改变你的饮食习惯？怎么改？

参考词语：

时间	习惯	零食	胃口
准备	难受	反应	症状
影响	脂肪	生长	保持
营养	纤维	感到	促进
提供	头晕	均衡	效率
丰富	补充	能量	睡懒觉
矿物质	蛋白质	维他命	饿
精力充沛	身体健康	思想集中	
碳水化合物	荤素、粗细粮搭配		

5 说一说

是治病还是把人整死？

在两百多年前的欧洲，由于医学还不发达，去看病简直是一件痛苦的事。当时的医生认为，有些病是"坏血"引起的，所以他们会让一种吸血虫"水蛭"来吸病人的"坏血"，以达到治病的目的。当时做手术没有麻醉剂，医生只用草药或酒精麻醉病人。当时也还没有抗生素，很多病人会因伤口感染而死去。

你所知道的现代治病方法

科学疗法	自然疗法
● 吃药	● 音乐疗法
●	●
●	●
●	●
●	●
●	●
●	●
●	●
●	●
●	●

6 [CD2][T23] 回答下列问题

（一）

1. 碱性食品一般有哪些？（列出三种）

2. 为什么每天吃的食物要荤素搭配？

3. 以下哪几句话正确？

    ☐ a) 一般食物分为两大类：酸性食物和碱性食物。

    ☐ b) 酸性食物有鸡、鸭、鱼、肉、面、牛奶、豆制品等。

    ☐ c) 长期只吃碱性食物会导致冠心病、心脏病和肥胖症。

    ☐ d) 一个汉堡包再加上一些蔬菜和水果就是一顿营养均衡的午餐。

（二）

1. 什么原因使人的寿命比以前延长了？

2. 人类寿命不断延长会给政府带来什么问题？

3. 以下哪几句话正确？

    ☐ a) 领取退休金的人逐年增多是导致政府财政预算不平衡的原因之一。

    ☐ b) 人的寿命每二十年延长一岁。

    ☐ c) 一些发达国家的人均寿命在七十岁以下。

    ☐ d) 推迟退休年龄是减少退休金开支的一个办法。

7 讨论

1. 什么叫"都市病"？
2. "都市病"有哪些？
3. "都市病"是怎样引起的？
4. 你自己或家人、亲戚中有没有人得"都市病"？病情怎样？是怎样治疗的？

参考词语：

头痛　头晕　便秘　肿瘤　节奏　饮食　锻炼　快餐　补品

习惯　规律　走路　食品　精细　高血压　肥胖症　心脏病

糖尿病　看电视　用电脑　厌食症　生活方式　睡眠不足

精神紧张　工作压力　竞争激烈　暴饮暴食　体力劳动

"不节食"减肥法

"不节食"减肥法不特别强调节食，而强调运动。每天至少做一次四十五分钟的运动。最简单的运动就是走路。食物要以高纤维的碳水化合物为主，多吃含有丰富蛋白质的食物，比如鱼和坚果，再加上蔬菜和水果。总之，要减肥就一定要坚持，这样才能达到目的。

该你了！

选其中一种减肥方法，并讲解一下人们可以怎样通过这种方法减肥（可以上网查资料）。

减肥方法：

- 做瑜伽
- 跳绳
- 按摩
-
-
-
-
-
-

苹果三日减肥法

苹果是一种营养丰富的食物，含有糖、蛋白质、脂肪、各种维生素及磷、钙、铁等矿物质，还有果酸、胡萝卜素等。

苹果减肥法是在三天内只吃苹果，可以按人们的进食习惯，早、午、晚分别吃1-2个苹果，食量以不感到饥饿为好。如果感觉口渴，可以喝白开水或淡的绿茶。苹果可以煮熟了吃，或者榨成果汁，也可以烤着吃。

这种减肥法一般在三天内能减掉3-4公斤，效果好的能达到5公斤。三天后进食要慢慢增量，到正常进食之前最好有2-3天的恢复期。过了这三天，还必须合理配备膳食并做些适当的体育锻炼。

血型与性格

A 型

顺从，细心，感情丰富，做事认真，忍耐力强，重视家庭，容易适应环境，有公德心，有礼貌，不多管闲事，有责任心，自尊心强，决断力不强，性急，内向，胆小，容易悲观。

B 型

乐观，热情，活泼，爱社交，浪漫，自信，好辩，纯真，心直口快，大胆，正直，敢想、敢说、敢做，不循规蹈矩，喜欢我行我素，大胆但不慎重，多嘴，夸张，容易厌倦。

O 型

活泼，热情，人缘好，意志坚强，自信，冷静，客观，喜欢挑战自己，不怕艰难，性情开朗，判断力强，开放，独立，顽固，个人主义，不太谦让。

AB 型

亲切，富有同情心，聪明，胆大心细，坚强，自信，果断，乐观，个性强，喜欢表现自己，能干，乐于助人，公正无私，性急，烦恼不安，缺乏冒险精神。

1 回答下列问题：

1. 你是什么血型？你的性格跟以上讲的符合吗？如果不符合，说一说你的性格。

2. 你的父亲是什么血型？他的性格如何？

3. 你的母亲是什么血型？她的性格如何？

2 描述你班上的一个男学生或者一个女学生的性格，并猜一猜他/她的血型。

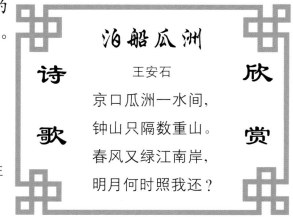

泊船瓜洲

诗歌　欣赏

王安石

京口瓜洲一水间，
钟山只隔数重山。
春风又绿江南岸，
明月何时照我还？

阅读(十二) 李时珍

CD2 T24

李时珍是中国古代杰出的药物学家。他出生在一个世代行医的家庭里。

李时珍自幼喜欢采集各种植物和动物的标本，注意药物的疗效，同时还读了大量的医书。他发现古人写的《本草》有些地方不太准确。为了弄清楚各种药的药性，他离开家乡，冒着严寒酷暑，历尽千难万险，走遍了很多省份。他向当地人请教，研究各种植物、鸟类、兽类、民间药方等。经过二十余年的努力，李时珍根据他收集的各种资料，终于写成了《本草纲目》。这本书介绍了1,195种植物、340种动物及357种矿石的药用价值，还配有1,000多幅插图及10,000多种药方。

《本草纲目》于1596年出版，先后传到了日本和欧洲，被译成拉丁文、德文、法文、俄文、英文等文字，曾被达尔文称之为"百科全书"。李时珍为中国及世界药物学作出了巨大的贡献。

生词：

1. 药物学 yào wù xué pharmacology
2. 世代 shì dài for generations
3. 采集 cǎi jí gather; collect
4. 标本 biāo běn specimen; sample
5. 疗效 liáo xiào curative effect
6. 准确 zhǔn què accurate
7. 清楚 qīng chǔ clear; know
8. 药性 yào xìng property of a medicine
9. 家乡 jiā xiāng hometown
10. 严寒 yán hán icy cold
11. 酷暑 kù shǔ intense heat of summer
12. 千难万险 qiān nán wànxiǎn innumerable dangers and hardships

13. 省份 shěng fèn province
14. 当地 dāng dì local
15. 请教 qǐng jiào consult; seek advice
16. 药方 yào fāng prescription
17. 余（餘） yú surplus; more than
18. 据（據） jù according to; evidence
   根据 gēn jù according to
19. 收集 shōu jí collect
20. 纲（綱） gāng outline 纲目 gāng mù outline
21. 矿石 kuàng shí mineral
22. 药用 yào yòng used as medicine
23. 价值 jià zhí value
24. 幅 fú measure word

25. 插 chā insert 插图 chā tú illustration
26. 版 bǎn edition 出版 chū bǎn publish
27. 拉丁文 lā dīng wén Latin
28. 俄 é Russian Empire 俄文 é wén Russian
29. 百科全书 bǎi kē quán shū encyclopaedia

专有名词：

1. 李时珍 lǐ shí zhēn Chinese pharmacologist of the Ming Dynasty (1518-1593)
2. 《本草》 běn cǎo Chinese Materia Medica
3. 《本草纲目》 běn cǎogāng mù Compendium of Materia Medica
4. 达尔文 dá ěr wén Charles Robert Darwin (1809-1880)

附 录

第一单元　节日与庆典

第一课　中国的传统节日

CD1 T2

A: 正月就是农历一月，对吗？

B: 对。

A: 今年春节是哪天？

B: 阳历一月二十八号。

A: 你们通常哪天去给爷爷、奶奶拜年？

B: 我们每年都是年初一去。

A: 你今年得到多少压岁钱？有没有 2,000 块？

B: 有 3,000 多。

A: 香港人年初一吃什么特别的食物？

B: 他们一定要吃年糕，希望生活一年比一年好。

A: 你跟家人每年清明节这天去扫墓吗？

B: 我们总是清明节前一个星期去，因为清明节这天人太多。

A: 在电视上我看见香港人过中秋节烧蜡烛、玩灯笼。

B: 北京人过中秋节不烧蜡烛。

CD1 T3

（一）

今年的春节联欢晚会将于除夕晚上八点开始，午夜十二点半结束。晚会的主要节目有民歌演唱、民族舞蹈表演、京剧表演、杂技表演、合唱、儿童歌舞表演等。我们还特地邀请了中、外著名歌唱家及钢琴演奏家为大家献上精彩的表演。晚会将在中央电视台一台、二台和四台同时直播，敬请各位观众同我们一起欢度除夕之夜。

（二）

除了中国以外，世界上还有其他国家，例如越南、朝鲜、韩国、马来西亚、新加坡等国家的华人也庆祝春节。在北美洲、欧洲、澳大利亚等地的华人也过春节。春节期间，他们与家人团聚、吃年夜饭、走亲访友。有的地方还放鞭炮，有舞龙、舞狮表演，非常热闹，吸引不少当地的华人和本地人去观看。

第二课　西方的传统节日

CD1 T6

1. A: 今年圣诞节你们家怎么过？

   B: 今年我们不去国外度假。我姥姥、姥爷来我家过圣诞节。

2. A: 你们家每年都摆圣诞树吗？

   B: 小时候我们家年年都摆，最近几年不摆了。

3. A: 你今年收到了几份圣诞礼物？

   B: 至少有六份。

4. A: 今天是元旦，你对未来有什么希望？

   B: 我希望没有太多的考试，学习可以轻松一些。

5. A: 今年的感恩节是哪天？

   B: 十一月二十七号。

6. A: 你一年里什么时候能与你家的亲戚团聚？

   B: 每年的春节。

CD1 T7

（一）

去年我和朋友参加了在市中心广场举行的新年倒数庆祝活动。庆祝会是在除夕夜晚上八点开始的。当时会场上人山人海，气氛异常热闹，每个人都有说有笑。庆祝会上还有各种表演，有唱歌、舞蹈、有奖游戏等。时钟快敲响午夜十二点时，大家异口同声地倒数最后十秒钟。数完最后一秒钟，大家都互相祝福，说"新年快乐!"

（二）

西班牙这个国家很特别。他们午饭一般在下午三点吃，因为他们中午要睡午觉。他们晚饭一般在晚上十点吃。西班牙人爱吃，也会吃，不过他们用餐的礼节一般都不复杂。用餐时他们的话题一般是哪个饭店有什么特色，哪里开了一家新餐馆等。西班牙人喜欢吃炸、烤的食物。他们喜欢吃烤羊肉、烤猪肉，他们也爱吃鱼。西班牙海鲜饭很有特色，里面有鱿鱼、大虾等。有人说西班牙菜受法国大菜的影响，因为法国是西班牙的邻居。

第三课　社交用语及礼仪

CD1 T10

1. A: 丁云，下个星期五是我的生日，我想请六个同学来我家。我们可以玩电脑游戏，也可以看影碟。

   B: 太棒了，我正好有空，我一定来。

2. A: 孙文，我们家周末去郊游、烧烤，你想不想跟我们一起去？

   B: 对不起，我下个星期有考试，我得在家复习功课，我妈妈不会让我去的。

3. A: 杨光，今年除夕晚上我们去市中心广场参加倒数吧！

B：恐怕不可以，我们圣诞节前就去欧洲旅行，一月三号才回来。

4. A：宋明，万圣节晚上想不想参加化装舞会？我们一起去，怎么样？

B：好啊！几点去？去哪儿？还有谁去？

5. A：小兵，明天是端午节，我要去拍一些照片。你跟我一起去，好吗？

B：不好意思，我去不了。我已经跟其他人约好去打球。你怎么不早点儿说？

6. A：鲁军，你今年暑假想不想去北京大学参加一个汉语班？我们可以学点汉语，还可以去旅游。

B：好主意，但是我得跟我父母商量一下。你打算去几个星期？你知道要花多少钱吗？

CD1 T11

（一）

由于社会的进步，北京人过年送礼的习惯也发生了变化。以前，人们过年过节互相送烟、送酒、送糕点、请客吃饭更是常见，而现在人们却会送健身卡、订报卡、美容卡、英语班听课卡等等，非常有新意。不少健身俱乐部乘机推出"健身卡"来吸引顾客。以前人们办年货时买鸡、鸭、鱼、肉，还添置新衣服；如今人们办的年货、送的礼品不仅是吃的，而且还跟健康、学业与工作有关。

（二）

中国人喜欢红色，因为红色代表幸福、吉祥、成功、运气等。过年时人们会贴红对联、红"福"字，挂红灯笼、发红包，甚至贺年卡也是红的。结婚时，要贴红喜字，新娘要穿红衣服、戴红花，新房里点红蜡烛。谁家生了小孩要派发红喜蛋。哪家商店生意做得好，人们就说这家店生意"红火"。如果哪个演员、歌星很有名，人们就说这个人很"红"。总之，红色对中国人有特别的意思。

第二单元 时事与娱乐

第四课 通讯与媒体

CD1 T14

1. 各位听众，目前有一股冷空气正在由北向南移动，预计周末华北地区会出现大风，气温可能下降5到10度，部分地区还会下雪。

2. 北京三环路上今天下午发生了一起交通事故，一辆货

车与一辆小巴相撞，造成十几人受伤，其中一人伤势严重。

3. 昨晚广州市郊的一个居民小区发生了一起火警。事发于5座的一个单位，三辆救火车到场，事件中无人受伤。

4. 美国费城交响乐团将于5月10日到20日在上海进行访华演出。该乐团将在上海大剧院演出五场。

CD1 T15

（一）

相对来说，以前的学生放学以后看书、看报比较多，因为那时没有电视机，娱乐活动的形式也比较少。现在有了电视、电脑，学生一有时间就上网、看电视、玩电脑游戏。学生在电脑、电视机屏幕前可以坐上几个小时，而花在看书、看报上的时间就少了。

（二）

自从十九世纪有了电以来，科学家们先后发明了电报、电话和广播，后来更有了电视。广播、电视不仅为我们带来世界各地的最新消息，而且还给我们提供娱乐。电脑是二十世纪的伟大发明之一，互联网的出现给人们的生活带来了更多的方便。无论你在何时何地，只要你能上网，你就能跟外界取得联络。

第五课 娱乐与休闲

CD1 T18

A：请您介绍一下今年的国际花样滑冰锦标赛的情况。时间大概是什么时候？

B：2月12日到16日。

A：在哪儿举行？

B：在北京首都体育馆举行。

A：有多少个国家和地区参赛？

B：有来自四大洲的12个国家和地区。

A：请问是哪四大洲的国家和地区？

B：北美洲、欧洲、大洋洲和亚洲。参赛的国家有美国、加拿大、英国、法国、德国、澳大利亚、日本、俄国等。

A：到时有多少运动员参加？

B：有150多名。

A：今年的锦标赛是第几届？

B：这已是第五届了。第一届是在加拿大举办的，每年举办一届。

（一）

《哈利·波特与密室》将于 2003 年 1 月 24 日在北京隆重上映。一家在北京的哈利·波特专卖店将于 2003 年 1 月 15 日正式营业。这家专卖店将出售相当多的产品，有围巾、杯子、文具、图书、巧克力、饼干等，预计每天的销售额可高达一万元以上。近日来，在北京街头、建筑物上到处都张贴着《哈利·波特与密室》电影的广告和海报。看来这部电影以及相关产品会带来很多经济收益。

（二）

为了纪念法国伟大的文学家雨果诞辰 200 周年，法国大型音乐剧《巴黎圣母院》将于 2002 年 12 月 20 日在北京人民大会堂连续演出五场。这是近几年来首次世界著名音乐剧原装来北京演出。票价有 250 块、350 块和 450 块。想订票的观众可以打票务热线 68515544 或者 68515545。观众还可以上网订票，网址是 www.tickets.com.cn。

第六课　社会名流

CD1 T22

英国查尔斯王子与已故戴安娜王妃育有两个儿子：威廉王子和哈里王子。威廉王子长得高大、英俊，身高 1.85 米，有像他母亲一样的迷人的笑容。他曾经就读于英国著名的"伊顿公学"。在他 18 岁生日之前，他接受过一次记者的采访。他告诉记者他喜欢水球、足球和橄榄球，他还喜欢看球赛。他常常跟朋友一起去看电影，他尤其喜欢看动作片。他说他还喜欢看书，听舞曲和流行歌曲。除此以外，他还提到他喜欢穿休闲服。他不太喜欢传媒过分关注他，因为这会使他觉得不太自在。

CD1 T23

（一）

比吉斯三兄弟出生在爱尔兰。他们从小受父母的影响，酷爱音乐。他们的父亲是一个乐团的团长，而母亲则是一名歌手。大哥 Barry 在他九岁那年已开始唱歌，他的两个双胞胎弟弟为他伴奏。Barry 十岁那年，他和两个弟弟跟随父母移民到澳大利亚。1967 年，他们兄弟三人正式组成比吉斯乐团(Bee Gees)，走上了摇滚乐坛。七十年代是比吉斯乐团的黄金岁月。从六十年代到九十年代，比吉斯三兄弟成了音乐史上最成功的三重唱。他们演唱的大部分歌曲都是自己创作的，其中《周末狂热》(Saturday Night Fever)非常有名。2001 年，他们还推出了新歌《我

从这里开始》(This Is Where I Came In)。不幸的是，其中一个兄弟 Maurice 于 2003 年 1 月病逝。

（二）

最近北京舞台上活跃着一个由 12 名年轻漂亮的女子组成的中国古典乐器演奏队。自 2001 年成立以来，她们在短短的一年半中在中国音乐界迅速走红。她们演奏的乐器有古筝、琵琶、二胡、三弦、竹笛、扬琴等。她们把中国古老的琴音与西方流行音乐融合在一起，形成了她们独特的风格。她们在舞台上演奏时不一定是坐着，有时候站着，有时候翩翩起舞。虽然她们演奏的都是中国古典乐器，但是她们不只是穿中式服装，而是有时穿黑色的长裙，有时穿火红色的晚装。看过她们演出的人都说，她们的音乐会不仅给观众带来听觉上的享受，而且给人视觉上的享受。

第三单元　青年一代

第七课　青年人的烦恼

CD2 T2

现在是听众来信节目。我是知心姐姐。今天我们要谈的题目是减肥。有好几个中学生来信抱怨说他们身体过胖，几次减肥都没有效果。在此我想建议那些减肥者在减肥时应该做到以下几点：

第一，不要吃太多的肉，应该多吃蔬菜、水果、豆制品等低能量的食物。

第二，不要吃太多零食，例如巧克力、饼干、糖果、薯片等，尽量少喝饮料，多喝水。

第三，要多做体育运动，比如打球、跑步、游泳等，争取每天坚持做半个小时的运动。

第四，经常称一下自己的体重。

如果你们能够坚持做到以上几点，我相信你们的减肥一定会收到成效。

CD2 T3

（一）

两年前我父母离婚了，他们让我跟爷爷、奶奶住。我父亲在另一个城市工作，一年到头只能见他两、三次。一开始他还支付我的生活费和学费，但近一年来他都没有寄钱给我爷爷、奶奶。我已经写了几封信，也打了好几个电话给他，他都说没有钱，因为他失业了。我已经有一年没

有见到我母亲了，她现在在哪儿我都不知道。我爷爷、奶奶说他们靠退休金生活，也没有太多的钱。所以我近来非常苦恼，情绪也不好，上课不能集中思想，下课也没心思做作业，学习成绩退步了很多。

（二）

由于父母的工作关系，我今年转到了一所新的学校读书。一个学期已经过去了，我还没有交到一个朋友。我知道自己的缺点，我比较害羞，有时还会自卑，班上有几个同学经常欺负我、取笑我。我很爱学习，而且学习成绩总是在班上数一数二，因此有些同学就妒嫉我，还不跟我说话。有一次不知道谁把我的书包藏了起来，我找了半天才找到。我很苦恼，我希望这样的日子快点结束，希望我能交到几个朋友，和他们说说心里话。

第八课　不良言行与犯罪

CD2 T6

A：警察，我要报案。

B：什么事啊!

A：我被人抢了。

B：什么时候？在什么地方？

A：晚上十一点半左右，我在大华酒店附近被两个男人拦住。他们抢走了我的手提包、手表及摄像机，总共价值 15,000 块。他们还让我讲出信用卡的密码。

B：他们两个人手里有没有拿凶器？

A：有。他们每人手上拿一把短刀。他们说如果我不讲出信用卡的密码，他们就杀了我。

B：他们都穿什么衣服？长得什么样儿？多大年纪？

A：他们都穿着黑色的上衣和牛仔裤，头上还戴着帽子。我看不清他们长得什么样，只是一个长得胖一点，中等个子，而另一个高高的、瘦瘦的。他们俩年纪大约有 20 出头。

CD2 T7

（一）

本市最近有四个平均年龄不到 15 岁的中学生，因没钱上网吧而进行抢劫，前天被警方抓获。

这四个青少年在不同的学校就读，他们都喜欢上网。一年前他们在网吧结识，后来便成了好朋友。有一次，他们四人因没有钱，网吧老板没让他们进去。他们很不开心，但又不知道怎样弄到钱。正在那时，三个分别是十岁、十一岁和十二岁的孩子路过，他们四个人就一涌而上，逼

着他们把口袋里的钱交出来。仅仅为了六十块钱，他们先后打伤了那三个孩子。后来受害者报了警，这四个不良青少年于一个月后被警察抓获。

（二）

本市一位叫吴肖冰的青年成功戒毒后，被邀请到一所中学讲述他吸毒、戒毒的经历。他第一次接触毒品是受一位坏朋友的影响，结果没想到一下子就上了瘾。为了弄到钱买毒品，他偷同学的钱，更把家里的东西拿出去卖。后来他父母得知后帮他戒毒，但是他做不到。为了钱，他经常跟父母争吵。有一次，父母亲一生气就把他赶出了家门。在吸毒的那段日子里，他的身体越来越差，有时更想到自杀。后来警察把他送进了戒毒中心。经过一年多的努力，他终于成功地戒了毒，又可以像正常人一样生活了。他最后说："千万别一时冲动去吸毒。吸毒不仅不能帮你消除烦恼，还会使你更烦恼。"

第九课　升学与就业

CD2 T10

A：你是什么时候中学毕业的？

B：去年 6 月。

A：你毕业后做了些什么？

B：我去了亚洲旅行，还做了一段时间的义工。

A：你有什么专长？

B：我的语言能力比较强。我会说英语、汉语和日语，我还懂一点儿法语。

A：你想找一份什么样的工作？

B：我希望这份工作能用上我的语言技能。

A：你每星期希望工作几天？

B：我可以做全时工作。

A：你可以工作多久？

B：我可以工作到明年 8 月底，因为 9 月我要上大学。

A：这么说你可以工作七个月。这样吧，你 2 月 1 号开始上班，上班时间是早上九点到下午五点，中午休息一个小时。

CD2 T11

（一）

在"校外活动周"里，我去了一间律师行当秘书。秘书工作不是很辛苦，但是工作内容很重复，每天做的事情都是一样的：复印、打字、写信、寄信、收信、开信，还要整理文件、打电话、接电话、为会议作记录、接待来访

的客人等等。我每天早上八点半上班,下午四点半下班,午饭时间是十二点半到一点半。一星期工作下来,我总算对秘书这份工作有了一定的了解。虽然我决定以后不想干这一行,但这次的工作经验使我学到了很多在课堂上学不到的东西,也培养了我的耐心。

（二）

在上个星期的"校外活动周"里,我去了爸爸的牙医诊所工作。那个诊所不大。爸爸有一个助手和一个接待员。每天来他诊所看病的人很多,爸爸经常同时要照顾三个病人,忙得不可开交。那几天里,我看到爸爸为病人洗牙、补牙,还为病人拔牙。我很胆小,见到病人治疗时脸上痛苦的表情,就好像我自己的牙也在疼。看到有些病人由于牙齿不好而不能吃东西,甚至影响工作,我才清楚地认识到为什么平时父母要我保护牙齿。一个星期下来,我深深地体会到爸爸的工作很辛苦,也懂得了保护牙齿的重要性。

第四单元　未来世界

第十课　环境污染

CD2 T14

A－学校小卖部的孙阿姨

B－学生会主席

B: 孙阿姨,我是学生会主席。我想了解一下近来小卖部的环保工作做得怎么样。先请您说一说,小卖部有没有考虑过不再用一次性塑料饭盒,而改用纸饭盒?

A: 曾经考虑过,但是每个纸饭盒比塑料饭盒贵两毛钱,所以我们至今还没有决定是否会改用纸饭盒。

B: 那么,小卖部是否还免费送一次性木筷和塑料刀叉呢?

A: 是呀,因为学生中很少有人自己带筷子和刀叉,而且一次性木筷和塑料刀叉既方便又卫生,所以我们还是免费送。

B: 小卖部卖出去的瓶装、罐装和纸包饮料有没有回收?

A: 有。小卖部旁边已放置了三个不同颜色的回收箱,分别回收纸盒、瓶子和铝罐。大部分学生都会把空包装扔进回收箱内。

B: 好,谢谢您。

A: 不用客气。

CD2 T15

（一）

中国人早在远古时代就开始用筷子吃饭。这种习惯延续至今。但近十几年来,为了追求文明、卫生和方便,无论在饭店还是在快餐厅,到处都见到人们用"一次性"筷子进餐。中国有十三亿人口,每年用掉的"一次性"筷子数目惊人。

中国每年不仅在国内消耗大量的木筷、竹筷,而且还大批出口筷子。因制作筷子而被砍伐的树木和竹林的数量已无法统计。试想一想,土地的沙化越来越严重,沙尘暴越来越频繁,这多少跟用"一次性"筷子有关吧?

（二）

地球是人类的家园,也是动物的家园。但是我们的家园正在受到严重的破坏,地球上的空气、水、土壤等正在受到污染。就拿塑料来说吧,它为人类带来了极大的方便,但也给人类和动物带来了种种威胁,人们称之为"白色污染",因为塑料解体需要200年以上的时间。废塑料如果扔进大海,海鸟、鱼类和其他海洋生物可能会因吞下塑料而死亡,海水也因此被污染。所以,为了我们人类自己,也为了人类的朋友——动物,从现在起,少用塑料制品吧!

第十一课　新科技

CD2 T18

让癌症远离你

虽然癌症听起来很可怕,而且每年全世界死于各种癌症的人也正在增加,但良好的饮食习惯和运动却可帮助我们预防和远离癌症。

大多数医学专家认为大约有80%的癌症病例与生活方式和环境有密切的关系。要有效地预防癌症,在饮食方面要注意以下几点:

1. 饮食要均衡。

2. 多吃不同种类的蔬菜、水果和高纤维食物,比如大麦、豆类等。每天要吃五份新鲜蔬菜和水果,因为蔬菜和水果里边的维生素A、C和纤维可以预防癌症。

3. 多吃豆制品,因为大豆中的某些成份可以预防癌。

4. 多饮绿茶,绿茶可以预防直肠癌和胃癌。

（一）

A：王先生，早就听说可视电话已经问世了。能不能给我们谈谈它究竟是什么样的？

B：可视电话就是打电话的双方在通话的同时可以通过屏幕看见对方。

A：那么可视电话有什么好处呢？

B：比如说，公司主管不用出国便可以跟另一个国家的同事或合作伙伴"面谈"。还有，朋友也不用约到外面去，在各自的家里便可以"会面"。这样既节省时间又节省金钱。

A：可视电话容易安装吗？

B：非常简单，不仅可以安装在墙壁上，也可以放在书桌上，还可以携带出门。

A：可视电话还没有普及，是什么原因呢？

B：主要是因为价格比较贵。估计在不久的将来，可视电话会大量生产，价格也会慢慢地便宜下来。到那时用户就会多了。

（二）

A：钟小姐，现在越来越多的人使用数码相机。你能不能给我们介绍一下？

B：数码相机是新一代的相机。照相时不用胶卷，而是用电脑集成块把图像摄下来。

A：那么拍出来的照片怎么看到呢？

B：照相机本身有一个屏幕，每拍一张照片便马上可以从屏幕上看到。

A：用数码相机拍照有什么特别之处呢？

B：第一，你可以一下子拍很多张照片，然后可以从中挑你喜欢的保存下来。第二，只要用导线将相机跟电脑连上，便可以在电脑上看到放大的照片。第三，你也可以去照相馆把你喜欢的照片印出来保存。第四，这些照片可以通过打印机打出来，还可以通过电邮传送给你远方的亲朋好友。

第十二课　健康之道

A：听众朋友们，今天的"听众问答节目"我们请来了联合医院的高医生，请他为我们解答有关失眠的问题。高医生，您好！

B：你好！听众朋友们好！

A：高医生，有听众发来电邮，抱怨失眠的困扰。请您讲一下怎样才能防止失眠。

B：防止失眠要注意以下几点：

第一，睡前不要做激烈运动。

第二，睡前要保证情绪稳定。

第三，白天不要睡觉。

第四，不要太晚睡觉，起居要有规律。

A：有一位听众打来电话问，如果失眠了，怎样做才能帮助入睡？

B：不要一失眠就吃安眠药，因为经常吃安眠药会对药产生依赖。可以喝一杯牛奶或吃一些其他的乳制品，这样可以帮助入睡。

A：非常感谢高医生。听众朋友，下次节目再见！

（一）

我们一般把食物分为酸性食物和碱性食物两大类。酸性食物一般有鸡、鸭、鱼、肉、米、面等，而碱性食物指水果、蔬菜、豆制品、乳制品、茶等。为了使酸性食物和碱性食物中和，我们每天吃的东西要荤素搭配，也就是说酸性食物和碱性食物都要吃，这样这两类食物在体内就可以得到中和平衡。反之，如果长期只吃酸性食物，如鱼、肉、鸡、鸭等，则会引起胃不舒服，人容易觉得疲劳，还会得冠心病、心脏病和肥胖症。现在的年轻人喜欢吃快餐。拿汉堡包作为一个例子，汉堡包本身并不是没有营养，而是它的营养不均衡，两片面包中只夹着一片肉和少量生菜。如果吃了一个汉堡包，再吃一些蔬菜和水果，那就既增加了碱性食物的摄入，又减少了酸性食物在体内的堆积。

（二）

如今，先进的科技医术、新药能治好很多种疾病，再加上物质生活的不断提高，人的寿命因此延长了。这对人类无疑是件好事，但这意味着政府每年发放的退休金将越来越多，致使财政预算失去平衡。据统计，现在人的寿命每隔大约十年就延长一岁。目前，一些发达国家的男、女平均寿命达到了73-78岁。如果按60岁为退休年龄，政府要为每一个老年人发放13-18年的退休金，但50年后，政府就要负担18-23年的退休金，甚至更多。因此，不少人口学家和经济学家提出推迟退休年龄的建议。